DZIENNIK

CWANIACZKA

NO TO LECIMY

Jeff Kinney

Tłumaczenie
Joanna Wajs

Nasza Księgarnia

DLA ANNIE

Niedziela

Wiecie, co mnie najbardziej denerwuje, kiedy słucham o wakacjach innych ludzi? To całe udawanie, że CIESZĘ SIĘ ich szczęściem. Nikogo nie obchodzą CUDZE niezapomniane przeżycia.

Lubię słuchać tylko o tych wakacjach, na których coś poszło NIE TAK. Wtedy wiem, że nic nie straciłem.

My w każdym razie też właśnie wróciliśmy z ferii świątecznych. Daję wam słowo, gdybym tylko mógł zostać w domu, ZROBIŁBYM TO. Ale nie było takiej opcji.

Jeszcze parę tygodni temu temat w ogóle NIE ISTNIAŁ. To był najzwyczajniejszy na świecie grudzień. A ja nie mogłem się już doczekać Gwiazdki.

Za to mama i tata byli okropnie zestresowani. Mieliśmy TOTALNĄ obsuwę z przygotowywaniem świąt i wszystko szło źle.

Na pewno jakoś byśmy się ogarnęli do Bożego Narodzenia. Ale pewnego wieczoru zobaczyliśmy w telewizji reklamę, która wywróciła nasze święta DO GÓRY NOGAMI.

Miejsce pokazane w spocie nazywało się Isla de Corales. A ja wiedziałem, że właśnie tam mama i tata spędzili swój miesiąc miodowy. Zresztą trudno byłoby ten fakt przeoczyć. Zawsze kiedy w TV pokazywana jest ta cała Isla, oni zupełnie się rozklejają.

Robi mi się nieswojo na samą myśl, że rodzice mieli przed nami jakieś inne życie. A niestety MUSZĘ o tym myśleć, bo w każdą rocznicę ich ślubu mama wyciąga album ze zdjęciami.

Na drugi dzień po tym, jak obejrzeliśmy reklamę, mama i tata coś ogłosili. Powiedzieli, że ZAMIAST siedzieć jak zwykle w domu, spędzimy święta w kurorcie Isla de Corales.

Kiedy zapytałem, jak chcą zabrać nasze prezenty na ten wyjazd, mama wyjaśniła, że naszym prezentem jest WYJAZD.

Uznałem to za BEZNADZIEJNY pomysł i byłem w szoku, że tata jest za. On na ogół nie lubi wydawać pieniędzy, a przecież takie wakacje na pewno kosztują MAJĄTEK. Ale wtedy tata oświadczył, że ma po dziurki w nosie okropnej pogody i chce wyskoczyć gdzieś, gdzie będzie ciepło.

Cóż, mnie osobiście brzydka pogoda nie przeszkadza. W sumie im zimniej i paskudniej, tym lepiej.

Sądziłem, że Manny i Rodrick przemówią rodzicom do rozumu i zapomnimy o sprawie. Ale te dwa typki wkopały nas jeszcze BARDZIEJ.

Trudno. Musiałem pogodzić się z tym, że nie spędzimy świąt w domu. Było jednak coś jeszcze, co mnie ZANIEPOKOIŁO. My na te wakacje mieliśmy POLECIEĆ. Nigdy wcześniej nie podróżowałem SAMOLOTEM i jakoś nie szalałem z radości na myśl, że zamkną nas w latającej puszce.

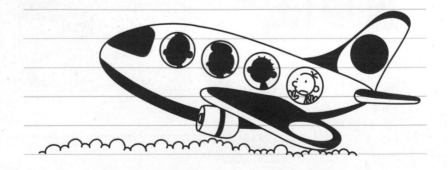

Nikt poza mną OCZYWIŚCIE nie miał z tym żadnego problemu. I dlatego dwa tygodnie później, zamiast wieszać pończochy na prezenty i oglądać programy świąteczne przy kominku, zaczęliśmy pakować walizki.

Poniedziałek

Wyjechaliśmy z domu około ósmej rano w Wigilię. Tata był kłębkiem nerwów, bo chciał wyjść GODZINĘ wcześniej. Mama powiedziała mu jednak, żeby nie przesadzał i że dojazd na lotnisko nie zajmie nam dużo czasu.

Chociaż na dworze było nie więcej niż sześć stopni, Rodrick tak się odstawił, jakby już wylądował w tropikalnym raju.

No i szybko się okazało, że tata miał rację. Trzeba było wyjść wcześniej. Najwyraźniej Wigilia to najgorszy dzień w roku na podróż, bo wpadliśmy w MEGAKOREK. W dodatku jakoś nie zauważyłem, żeby komukolwiek na drodze udzielił się duch Bożego Narodzenia.

Na domiar złego zaczął padać ŚNIEG. A wtedy korek stał się prawdziwym czopem. Mama i tata zaczęli kłócić się o to, o której należało wyjść, i w efekcie tata prawie przegapił zjazd na lotnisko. W ostatniej chwili ściął trzy pasy ruchu, co wyglądało na niezłe osiągnięcie.

Kiedy znaleźliśmy się przed terminalem, odkryliśmy, że na parkingu nie ma już wolnych miejsc. Tata musiał pojechać na ten drugi, tańszy, a to był kawałek drogi. Powiedział więc, że znajdziemy się później, a na razie zostawi nas z bagażami przy wejściu.

Niestety gdy chciał to zrobić, zaczął się prawdziwy MŁYN. Próbowaliśmy wyjąć z bagażnika walizki, ale policjanci nie pozwalali zatrzymywać się na dłużej niż trzydzieści sekund. Byliśmy bliscy załamania nerwowego, co nie poprawiało sytuacji.

Nie wszystko zdążyliśmy wypakować, więc wsiadłem
z powrotem do auta, żeby potem pomóc tacie z resztą
bagaży. W normalnych okolicznościach targanie gratów
należałoby do obowiązków Rodricka, ale spryciarz zdołał
się wykręcić swoim wdziankiem na trzydzieści stopni.

Miał SZCZĘŚCIE, że się wymigał. Bo kiedy dotarliśmy
do bramy parkingu, tata nie mógł dosięgnąć przez okno
biletu i kazał mi się po niego kopsnąć.

A ja nie zauważyłem, że od strony pasażera jest
wielgachna kałuża z błota i rozmokniętego śniegu.
No i centralnie w nią wdepnąłem.

Potem musieliśmy zaciągnąć nasze walizki do
najbliższego przystanku, żeby jakoś dojechać pod
terminal. I wiecie co? To nie był ubaw po pachy.

Zgodnie z rozkładem autobus miał przyjeżdżać co dziesięć minut. Ale pod wiatą nie było już dla nas miejsca, więc marzliśmy na śniegu.

Tymczasem minęło dwadzieścia minut. Tata panikował, bo czasu było coraz mniej. Powiedział, że musimy pójść na PIECHOTĘ. Czyli pokonać półtora kilometra.

Spróbowałbym go przekonać, żebyśmy poczekali jeszcze trochę, gdyby jedna z moich skarpetek nie zaczęła trzeszczeć. A ja naprawdę nie chciałem odmrozić sobie stopy.

I oczywiście gdy zrobiliśmy jakieś trzydzieści metrów, zobaczyliśmy nadjeżdżający autobus. Machaliśmy do kierowcy, żeby nas zabrał. Ale on tylko przemknął obok.

BRRUM

Chociaż RZUCILIŚMY SIĘ na złamanie karku w stronę przystanku, nie mieliśmy żadnych szans.

Teraz tata bardzo się już martwił, że samolot odleci bez nas. Zasugerowałem, że to może nie byłoby takie znowu NAJGORSZE, ale on chyba nie chciał tego słuchać.

W drodze do terminalu obaj wyglądaliśmy i czuliśmy się jak zmokłe kury. Dlatego gdy jakiś pikap prawie na nas wjechał na przejściu dla pieszych, tata WYSZEDŁ Z SIEBIE.

A to, co zrobił, ROZJUSZYŁO właściciela pikapa, który wyskoczył z auta.

Nie czekaliśmy na rozwój wypadków. Prysnęliśmy stamtąd i wmieszaliśmy się w tłum. Odczekaliśmy trochę, nim stwierdziliśmy, że teren jest czysty.

Tata oświadczył, że powinienem zapamiętać tę lekcję. To znaczy nigdy nie tracić nad sobą kontroli i nie robić głupot. Ale ja wyciągnąłem z tego zdarzenia INNĄ naukę. Kiedy Heffleyowie wpadają w tarapaty, DAJĄ CHODU.

Reszta rodziny czekała na nas przy wejściu do terminalu. Mama chciała wiedzieć, co nas zatrzymało, a tata chciał wiedzieć, dlaczego ona, Rodrick i Manny nie zajęli nam kolejki.

Do odprawy dotarliśmy dwadzieścia minut później.
Kiedy tata postawił naszą wielką walizę na wadze,
pracownica linii lotniczych powiedziała, że bagaż jest
zbyt ciężki i że trzeba będzie za niego dopłacić.

Wtedy tata oznajmił, że linie lotnicze zdarły z nas
mnóstwo pieniędzy i że nie damy im już ani CENTA.
No więc musieliśmy wyjąć z walizki trochę ciuchów
i przepakować je do bagażu podręcznego.

Gdy w końcu się z tym uporaliśmy, stwierdziliśmy,
że do wejścia na pokład zostało nam tylko pół godziny.
A przed punktem kontroli bezpieczeństwa zastaliśmy
prawdziwy ARMAGEDON.

20

Kolejki były dwie. Jedna dla rodzin, druga dla osób podróżujących służbowo.

Tata chyba ustawia się w tej drugiej, kiedy jeździ gdzieś w związku ze swoją pracą, bo nie był zachwycony, że utknął z nami w kolejce dla rodzin.

Zawsze gdy do czegoś dodawane jest słówko „rodzinny",
wiadomo, że będzie źle. Wierzcie mi. Jadłem w wielu
restauracjach „przyjaznych dla rodzin" i wiem, co mówię.

Czekaliśmy w kolejce i czekaliśmy, aż w końcu
znaleźliśmy się na samym przedzie. I wtedy jakiś
dzieciak za nami zaczął bawić się taśmą oddzielającą
pasy.

Nagle nie było już dwóch kolejek. Przez sekundę ludzie stali nieruchomo.

Ale gdy ta sekunda minęła, rozpętało się PIEKŁO.

Kiedy goście z ochrony przywrócili porządek, wylądowaliśmy na KOŃCU kolejki. A rodzina przygłupa, który
nas w to wpakował, na POCZĄTKU.

Mama i tata wpadli w lekką HISTERIĘ, bo samolot miał
zaraz startować. Tata poprosił jednego z ochroniarzy,
żeby nas przepuścił, ale koleś nie przejął się nim
zbytnio.

Myślałem, że naprawdę nie zdążymy na lot, więc nie
widziałem żadnego sensu w przechodzeniu przez
kontrolę. Tata jednak powiedział, że czasem zostawiają
bramkę otwartą do ostatniej minuty i że ciągle jeszcze
może nam się udać.

Wreszcie przyszła nasza kolej. Położyliśmy bagaż
podręczny na taśmie, zdjęliśmy kurtki i buty
i włożyliśmy je do plastikowych pudeł.

Manny zobaczył, co robimy, i TEŻ zaczął ściągać
ciuchy. Na szczęście mama go powstrzymała, zanim
posunął się dalej.

RZUT

Młody nie zamierzał jednak wrzucić na luz.
Najwyraźniej sądził, że tą taśmą przejedzie na drugą
stronę, i kiedy odkrył, że NIC z tego, włączył syrenę.

Ludzie stojący z tyłu zaczęli się niecierpliwić. Ale to
nie MY wstrzymywaliśmy ruch, tylko gość przed nami.
Kontrolerzy kazali mu zdjąć wszystko, co było
z metalu, a to zajęło całą WIECZNOŚĆ.

Rodrick powiedział mi, że te maszyny prześwietlają UBRANIE i że jeden z kontrolerów widzi na ekraniku, czy nie przemyca się czegoś niebezpiecznego. Cóż, mogę powiedzieć jedno. Za nic nie chciałbym TAKIEJ fuchy.

Zaraz się okazało, że prześwietlanie jest dla dorosłych i że dzieciaki przechodzą tylko przez wykrywacz metalu. Ale i tak nie zamierzałem ryzykować.

Kiedy zaliczyliśmy kontrolę, zabraliśmy swoje rzeczy z taśmy i pobiegliśmy do bramki. Musieliśmy zjechać schodami ruchomymi.

Ale nawet TO nie mogło pójść gładko. Schody wessały pluszaka Manny'ego, a młody je zatrzymał, żeby mama wyciągnęła mu zabawkę.

Tata spojrzał na zegarek i powtórzył, że jeszcze może nam się udać, więc wrzuciliśmy wyższy bieg.

Ale bramka była na samym końcu terminalu i wiedzieliśmy, że bez podwózki w życiu nie damy rady.

Właśnie wtedy obok nas przejechał wózek elektryczny dla niepełnosprawnych i tata zapytał, czy możemy się zabrać. Zanim dziewczyna za kierownicą zdążyła zaprotestować, po prostu się wepchnęliśmy.

Dalej było już z górki. W terminalu kłębiły się dzikie tłumy, ale wszyscy się rozstępowali, gdy słyszeli nasz klakson.

Dziewczyna podwiozła nas aż do bramki. Tylko że przejście było ZAMKNIĘTE. Pomyślałem, że na pewno spóźniliśmy się na samolot i że teraz możemy wrócić do domu, gdzie spędzimy cudowne święta. Ale było dokładnie odwrotnie. To LOT miał opóźnienie. A my niepotrzebnie się denerwowaliśmy.

Spóźnienie było spowodowane złymi warunkami atmosferycznymi. I wyglądało na to, że mamy całą GODZINĘ do wylotu. Chcieliśmy sobie usiąść, ale nie było takiej opcji. Wszystkie miejscówki okazały się dosłownie oblężone.

Mama powiedziała, że jeszcze się nasiedzimy, bo spędzimy w powietrzu sześć godzin. To była dla mnie NOWOŚĆ. W tej sytuacji poprosiłem o trochę kasy na czasopisma, przekąski i słuchawki do telefonu.

Jedyną rzeczą, jakiej nie mogłem kupić w sklepie na lotnisku, były SKARPETKI. Ta prawa, którą wlazłem w kałużę, ciągle jeszcze nie wyschła, więc poszedłem do łazienki wyżąć ją nad umywalką.

Gdy to zrobiłem, efekt nie wydawał się zadowalający. Skarpeta ciągle była WILGOTNA i jakoś nie miałem chęci jej naciągać. Wtedy zauważyłem jedną z tych mocarnych dmuchaw do suszenia rąk i wpadłem na pewien pomysł.

Nie mogłem się doczekać, kiedy wrócę do domu, opatentuję ten wynalazek i zacznę na nim ZARABIAĆ. W deszczowe dni dmuchawa do skarpet byłaby prawdziwym PRZEBOJEM.

Tylko że te lotniskowe dmuchawy do rąk są trochę ZBYT mocarne.

Moja skarpetka najpierw zaczęła się DYMIĆ, a potem POFRUNĘŁA.

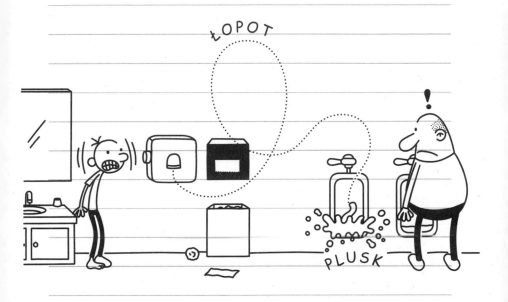

Doszedłem do wniosku, że kupię sobie nowe skarpetki w kurorcie. Nie było mowy, żebym chodził w czymś wyłowionym z PISUARU.

Wracając z łazienki, usłyszałem komunikat dotyczący naszego lotu.

Myślałem, że zaczynają nas wpuszczać na pokład, ale nie. Ogłoszono tylko kolejne OPÓŹNIENIE.

I tak wyglądał cały dzień. Najwyraźniej śnieżyca wywołała problemy nie tylko w naszym mieście, bo samolot, którym mieliśmy lecieć, utknął na jakimś INNYM lotnisku.

W końcu zacząłem się martwić o swój sprzęt elektroniczny. Nie chciałem, żeby padł mi w samolocie. Poszedłem poszukać miejsca, w którym mógłbym go podładować. Tylko że na ten sam pomysł wpadli WSZYSCY pasażerowie.

Jedyne wolne gniazdko znalazłem w dość krępującym miejscu. Ale kiedy człowiek ma w telefonie 15% baterii, nie wybrzydza.

Nasz samolot w końcu wylądował i wysypali się z niego podróżni. Cóż, ich miny nie świadczyły o tym, że latanie jest SUPERFAJNE.

Babka z linii lotniczych powiedziała przez mikrofon, że niebawem będziemy wchodzić na pokład. Potem jednak dodała, że na naszym rejsie jest „nadkomplet" pasażerów i że poszukiwani są chętni, którzy zrezygnują z lotu.

Oświadczyła, że ten, kto zgłosi się PIERWSZY, otrzyma trzysta dolarów i darmowy nocleg w hotelu na lotnisku.

Nie musiałem wiedzieć nic więcej. Podszedłem do jej stanowiska, zanim jeszcze skończyła mówić, i oznajmiłem, że jestem człowiekiem, którego potrzebuje.

Niestety mama wszystko zepsuła, ZABRANIAJĄC mi wziąć te pieniądze. No a poza mną NIKT jakoś się nie zgłosił.

Chwilę później linie lotnicze podniosły stawkę do PIĘCIUSET dolców i od razu znalazła się ochotniczka. No cóż. Mam nadzieję, że będzie dobrze się bawić podczas wydawania MOICH pieniędzy.

Potem kobieta z linii lotniczych wygłosiła KOLEJNY komunikat. Powiedziała, że w związku z opóźnieniem załoga naszego lotu przepracowała zbyt wiele godzin. Dlatego musimy poczekać na NOWĄ.

Wtedy wszyscy pasażerowie lekko się ZAGOTOWALI, bo mieliśmy wyruszyć wczesnym popołudniem, a wychodziło na to, że polecimy NOCĄ.

Kiedy członkowie załogi wreszcie się zebrali, wierzcie mi, nie byli zadowoleni. Pewnie dlatego, że zamierzali spędzić Wigilię w DOMU. Jechaliśmy na tym samym wózku, więc ŚWIETNIE ich rozumiałem.

W końcu zaczęto nas przepuszczać na pokład. My, Heffleyowie, poszliśmy od razu, bo rodziny z małymi dziećmi miały pierwszeństwo. Ale kobieta z obsługi nagle mnie zatrzymała.

Stwierdziła, że mój bagaż podręczny nie zmieści się na półce nad siedzeniami i że musi trafić do luku. I wiecie co? Nie miałem NIC przeciwko temu, żeby ktoś uwolnił mnie od torby.

Wnętrze samolotu naprawdę robiło wrażenie. Fotele były DUŻO większe, niż je sobie wyobrażałem. A w dodatku skórzane.

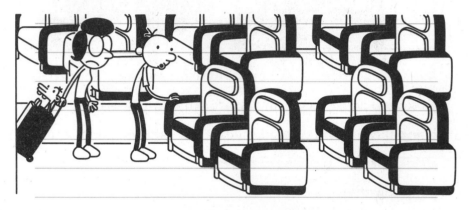

Zapytałem mamę, w którym rzędzie siedzimy, na co ona odparła, że mam się nie zatrzymywać. No i zaraz się okazało, że to PIERWSZA KLASA, podczas gdy nasze miejsca są w EKONOMICZNEJ.

A ekonomiczna nie była ANI TROCHĘ fajna. Siedzenia ścisnęli w niej tak, żeby zaoszczędzić jak najwięcej miejsca. No i pożałowali tych mięciutkich obić.

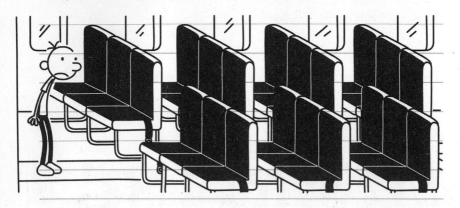

Mama powiedziała, że nasze miejsca są bliżej środka samolotu, więc poszliśmy dalej. Ale tata jakoś się ociągał. W końcu oświadczył, że ma pierwszą klasę w GRATISIE, bo często podróżuje. I że złapiemy się po lądowaniu.

Mama nie była zachwycona. Powiedziała, że to nie w porządku i że w takim razie wszyscy będziemy siedzieć w pierwszej klasie NA ZMIANĘ.

Tata zaprotestował. Oznajmił, że nie jesteśmy tak wytrawnymi podróżnikami jak on i że w pierwszej klasie nawet nie będziemy umieli się ZACHOWAĆ.

Całe szczęście, że pasażerowie z tyłu kazali nam się pospieszyć, boby wybuchła dzika awantura. Tata został w pierwszej klasie, a my poszliśmy szukać naszych miejsc.

Wszyscy mieliśmy fotele w tym samym rzędzie. Mama, Rodrick i Manny po jednej stronie przejścia, a ja po DRUGIEJ.

Rodrick próbował się ze mną zamienić, żeby nie siedzieć obok Manny'ego. Ja jednak byłem z tego zrządzenia losu bardzo zadowolony. Przydałoby się co prawda więcej miejsca na nogi, ale reszta wyglądała nieźle.

Wszyscy pasażerowie znaleźli się już na pokładzie, a teraz totalnie świrowali, próbując upchnąć swoje rzeczy na półkach nad siedzeniami. Wtedy pogratulowałem sobie w duchu, że MOJA torba trafiła do luku.

Wreszcie ludzie uporali się z bagażami i usiedli. Pilot ogłosił, że drzwi się zamykają. A miejsca po mojej prawej i lewej stronie nadal były wolne.

Nie mogłem uwierzyć we własne szczęście. I wiedziałem już, co zrobię zaraz po starcie. Wyciągnę się wygodnie na trzech fotelach i porządnie wyśpię.

A to będzie LEPSZE niż pierwsza klasa.

Ale zanim drzwi się zamknęły, na pokład wtargnęli jacyś spóźnialscy. Mieli ze sobą DZIECKO.

Nie sądziłem, że usiądą obok mnie, bo przecież wolne były tylko DWA miejsca. Ale dzieciak władował się na kolana MATCE.

Wiecie co? Gdybym to ja był szefem linii lotniczych, wprowadziłbym pewną zasadę. Jeden człowiek, jedno miejsce. Bo wolę nie myśleć, co by było, gdyby ta parka miała BLIŹNIAKI.

Zapytałem rodziców dzieciaka, czy któreś nie chce zamienić się miejscami. Wtedy mogliby siedzieć obok siebie. Ale matka odparła, że lubi wyglądać przez okno, a ojciec, że woli miejscówkę z brzegu.

Zaraz potem przez interkom odezwał się pilot.
Powiedział, że przed startem puszczą nam krótki
filmik o tym, co mamy robić w razie zagrożenia.

Już wystarczająco denerwowałem się samym lotem,
a teraz jeszcze wyskoczyli z jakimś „zagrożeniem".
No więc kiedy włączyli ten swój filmik, naprawdę
UWAŻAŁEM.

Zresztą chyba jako JEDYNY w samolocie. Reszta
pasażerów kompletnie się wyłączyła.

Na początku filmiku były same oczywistości. Jak
zapiąć pas i inne rzeczy w tym stylu.

Ale potem zrobiło się GRUBO.

Nagrany głos powiedział, że „jeśli ciśnienie w kabinie gwałtownie spadnie, maski tlenowe wypadną automatycznie". Nie wiedziałem, o co biega z tym ciśnieniem, ale nie podobało mi się, że może spaść. W dodatku GWAŁTOWNIE.

Ludzie na nagraniu nie wydawali się jednak ANI TROCHĘ przejęci tym, że z sufitu wyleciały maski. W sumie to wyglądali na CAŁKIEM zadowolonych.

A później było już tylko GORZEJ. Głos powiedział, że „w razie konieczności lądowania na wodzie" będziemy musieli się ewakuować.

Co totalnie mnie PRZERAZIŁO. Myślałem, że w samolotach chodzi o to, żeby utrzymywały się w POWIETRZU.

Potem głos poinformował nas, że w samolocie znajdują się wyjścia awaryjne i że siedzące przy nich osoby będą musiały je otworzyć, aby wszyscy mogli się wydostać.

Jedno z wyjść było o rząd za mną, a ja zauważyłem, że ludzie, którzy tam siedzą, KOMPLETNIE nie słuchają. No więc kazałem im się skupić i odłożyć gazety.

Stewardzi wydawali się niezainteresowani tym, że nikt nie ogląda filmiku. Cóż, oni prawdopodobnie mają WŁASNE wyjścia awaryjne. Dlatego gdy coś się wydarzy, idę za nimi.

Tymczasem na nagraniu zobaczyliśmy samolot w wodzie i dmuchane zjeżdżalnie. Ta cała katastrofa wyglądała tak, jakby to była NIEZŁA ZABAWA.

Głos dodał, że poduszki, na których siedzimy, są również kamizelkami ratunkowymi, a do każdej z nich przymocowany jest gwizdek. To nasunęło mi pewne pytanie, więc nacisnąłem guzik nad moim fotelem, żeby wezwać stewarda.

Zapytałem go, czy NAPRAWDĘ powinniśmy gwizdać, jeśli spadniemy do morza, w którym grasują rekiny. Przecież to zupełnie tak, jakbyśmy zapraszali je na darmową wyżerkę.

Steward zapewnił mnie, że nie mam czym się martwić, bo kamizelki ratunkowe są pokryte specjalnym sprejem odstraszającym rekiny.

Wtedy rzeczywiście się uspokoiłem, ale teraz zaczynam podejrzewać, że nie mówił serio.

Tak w ogóle to nie do końca kumam te gwizdki. No bo kto je usłyszy, jak chlupniecie w sam środek oceanu?

A jeśli nawet będziecie mieć fuksa i natkniecie się na przepływający obok statek wycieczkowy, to wierzcie mi, ci goście nie kiwną nawet PALCEM, żeby wyłowić rozbitka.

Kiedy filmik się skończył, poczułem, że jestem wykończony. A przecież jeszcze nawet nie wzbiliśmy się w POWIETRZE. Na szczęście parę sekund później samolot zaczął jechać po pasie. I ani się obejrzałem, jak oderwaliśmy się od ZIEMI.

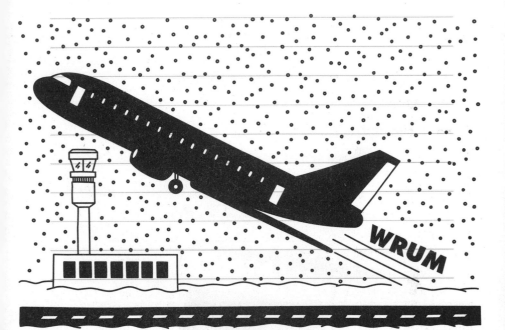

Nie będę wam ściemniał. Przez cały ten czas miałem zamknięte oczy. I nawet nie zauważyłem, że wstrzymuję oddech, póki prawie nie zemdlałem.

Kiedy samolot przestał się wznosić, rodzice dzieciaka zaczęli go karmić.

Już i tak okropnie mnie MDLIŁO. A smrodek papki z groszku niespecjalnie pomagał.

Chociaż naprawdę zbierało mi się na wymioty, nie miałem JAK sobie ulżyć. Aż nagle wypatrzyłem tę białą papierową torebkę w kieszeni siedzenia przede mną. No i to chyba właśnie było na TO.

Ale wtedy pomyślałem, że steward ma mnie już szczerze dosyć. Więc pewnie nie byłby zachwycony, gdybym wręczył mu torebkę z wymiocinami.

Jakoś udało mi się wytrzymać do końca karmienia i nie puścić pawia. Cóż, chciałbym to samo móc powiedzieć o DZIECKU.

Kiedy jego matka posprzątała, zaczęła grzebać w swojej torbie. Wyciągnęła z niej jakieś zabawki.

Jedną z nich był plastikowy młotek. A gdy tylko młody go dorwał, zaczął walić w SZYBĘ.

Słyszałem, że po rozbiciu szyby w samolocie wszystko w środku zostaje wyssane NA ZEWNĄTRZ. A to byłoby dość słabe.

No więc kiedy kobieta na moment się odwróciła, rąbnąłem smarkaczowi młotek i wepchnąłem pod fotel.

A wtedy dzieciak się rozryczał.

Najwyraźniej nikt nie lubi dzieci płaczących
w samolocie, bo zaraz zaczęto nam posyłać krzywe
spojrzenia. Na szczęście kobieta miała w torbie
butelkę, co uciszyło młodego na chwilę.

Sam zaczynałem być już głodny, więc wcisnąłem guzik
wzywający stewarda i zapytałem, kiedy będą nas
KARMIĆ. Na co on odparł, że posiłki otrzymują
wyłącznie pasażerowie pierwszej klasy. I na pocie-
szenie odpalił mi paczuszkę orzeszków, żebym jakoś
dotrzymał do lądowania.

Wtedy przypomniałem sobie o przegryzkach, które kupiłem na lotnisku. Po czym przypomniałem sobie coś jeszcze. Że torba z przegryzkami trafiła do luku.

Mama też chyba myślała o jedzeniu, bo gdy tylko pilot ogłosił, że osiągnęliśmy „wysokość przelotową", i pozwolono nam rozprostować nogi, poszła z Mannym do pierwszej klasy. Trafiła w punkt, bo właśnie podawali tam obiad.

Nagle poczułem, jak coś zimnego i lepkiego szturcha mój lewy łokieć, a potem prawy. To gość za mną ściągnął buty i skarpety, po czym wepchnął stopy między fotele.

Wyraźnie doszedł do wniosku, że może użyć moich podłokietników jako PODNÓŻKÓW.

Zacząłem się czuć jak w potrzasku, a wtedy koleś przede mną odchylił sobie fotel na maksa, tak że jego oparcie znalazło się tuż przy mojej twarzy.

Próbowałem zrobić to samo z WŁASNYM fotelem, ale nie mogłem znaleźć odpowiedniego guzika.

No więc wezwałem stewarda i zapytałem, gdzie ten guzik. Na co on wyjaśnił, że oparcia w naszym rzędzie w ogóle się nie odchylają, bo zablokowałyby wyjście awaryjne.

Z tego wszystkiego spociłem się jak MYSZ. Pomyślałem, że mógłbym poczytać jakieś czasopismo, żeby zająć myśli. Ale w kieszeni siedzenia znalazłem tylko katalog z tymi wszystkimi rzeczami, których nikt nie potrzebuje.

ŻUJ ŻUJ

Smakocyk
Jesteś nocnym podjadaczem? Oto coś dla ciebie! Koc i pizza w jednym, towar cieplutki i smakowity! W różnych smakach: pepperoni, z podwójnym serem i anchois.

ZZZZ

Oszukulary
Kiedy nie możesz wysiedzieć na nudnym zebraniu, włóż te okulary i utnij sobie drzemkę. Nikt nie zauważy!

Telebąbelek
Chroń swój telefon komórkowy przed deszczem, chowając go do bąbelka z plastiku!

Wszyscy wokół oglądali jakiś film, więc pomyślałem, że też dam mu szansę, i włączyłem swój ekran. Film wyglądał na komedię, ale słuchawki zostawiłem w torbie, a bez nich trudno było się połapać.

Zmieniłem kanał, żeby sprawdzić, co JESZCZE jest do obejrzenia. I przypadkiem trafiłem na jeden z programów dla maluchów. Dzieciak od razu się zainteresował. A kiedy zmieniłem kanał ponownie, zaczął WYĆ.

Szybko ZNÓW przełączyłem na program dla maluchów, żeby przestał płakać.

Jakoś przeżyłem do końca programu, chociaż ekran był STANOWCZO za blisko mojej twarzy, a kolory zbyt jaskrawe. Nawet gdy założyłem maskę do spania, NADAL wszystko widziałem.

Po napisach końcowych mały znowu zapuścił syrenę. Ale nie było OPCJI, żebym przez resztę nocy oglądał to samo.

Wtedy doszedłem do wniosku, że już czas na moją zmianę w pierwszej klasie.

Ale przyuważył mnie Rodrick i zanim zdążyłem zareagować, wystartował ze swojego miejsca. A wiedziałem, że kiedy ON przyssie się do fotela taty, trochę sobie poczekam.

Gdy mama wróciła z Mannym do klasy ekonomicznej, zobaczyłem, jak otwierają się drzwi kokpitu i ze środka wychodzi pilot.

Myślałem, że właśnie nastąpiło to ZAGROŻENIE, przed którym nas ostrzegano, więc wcisnąłem guzik i zapytałem stewarda, co się dzieje. Po czym usłyszałem, że pilot po prostu musi się przejść i skorzystać z łazienki. I że jego kolega ma wszystko pod kontrolą.

To niefajnie, że bezpieczeństwa tylu osób pilnuje tylko jeden człowiek. Nawet jeśli chodzi o przerwę na siku.

Będę z wami szczery. Moim zdaniem dwóch pilotów to ZA MAŁO. Nawet jeśli OBAJ są w kabinie. W tym systemie pewnie chodzi o to, że kiedy jeden ma atak serca, drugi dalej pilotuje samolot.

Zapytałem stewarda, co jednak będzie, gdy drugi pilot śmiertelnie się przerazi i TEŻ dostanie ataku serca.

Steward powiedział, żebym się nie martwił, bo dzisiejsze samoloty to cuda techniki i praktycznie latają SAME.

No cóż. Słyszałem, że piloci zarabiają kupę kasy, więc jeśli steward mówił prawdę, to może być praca dla MNIE.

Kiedy pilot wyszedł z toalety, pomyślałem, że ja też skoczę do kibelka. Problem polegał jednak na tym, że ojciec dzieciaka zasnął. Nie mogłem przecisnąć się nad nim, nie wyrywając go ze snu. No więc postanowiłem przeczołgać się POD nim. I wiecie co? To nie była superprzygoda.

Ruszyłem w kierunku kokpitu, ale nawet nie doszedłem do pierwszej klasy, gdy jakaś stewardesa powiedziała mi, że klasa ekonomiczna ma łazienkę na OGONIE.

Toaleta okazała się maciupeńka. Choć i tak było mi tam o NIEBO wygodniej niż w moim fotelu. Zupełnie jakbym miał tylko dla siebie tyci apartament.

Na zajęciach z przyrody dowiedzieliśmy się, że kiedy z samolotu wylatują nieczystości, zamarzają w powietrzu. Jeden gostek z mojego miasta natrafił kiedyś na takie znalezisko i pomyślał, że to METEORYT.

TYLKO U NAS: METEORYT PRZEDZIURAWIŁ DACH SZOPY!

Pewnie liczył na konkretny szmal, ale wtedy jego skarb rozmarzł i biedak odkrył, że tak naprawdę nie ma się czym chwalić.

Kiedy już zabunkrowałem się w łazience, stwierdziłem, że równie dobrze mogę tam zostać. Dlatego gdy KTOŚ przychodził, żeby z niej skorzystać, odstraszałem go, wydając obrzydliwe dźwięki.

Jednej osobie musiało się jednak bardzo chcieć, bo szarpała za drzwi tak mocno, że prawie URWAŁA klamkę. Ale ona też sobie w końcu poszła. Przez chwilę był spokój. Tylko że potem zatrzęsła się cała ŁAZIENKA.

Ktokolwiek to był, naprawdę go przypiliło, więc mu otworzyłem. Ale za drzwiami nie zobaczyłem NIKOGO. Wtedy zrozumiałem, że to nie tylko łazienka się trzęsie. Rzucało SAMOLOTEM.

Myślałem, że wylądowaliśmy na wodzie, zgubiliśmy silnik albo coś w tym stylu. Ale wtedy pilot znów odezwał się przez interkom.

Bujać to my, ale nie NAS. Moim zdaniem tak NAPRAWDĘ pilot się kimnął i trącił kierownicę czy co on tam ma, a wtedy wymyślił na poczekaniu te całe „wyboje". Bo właśnie tak JA bym na jego miejscu postąpił.

Steward chyba zauważył, że jestem w szoku, bo powiedział, że to były tylko niewielkie „turbulencje", zupełnie normalne na tej trasie.

Cóż, jeśli to jest NORMALNE, nie ma szans, żebym został pilotem. W razie jakichkolwiek kłopotów natychmiast wybywałbym z samolotu.

Steward kazał mi wrócić na miejsce i zapiąć pas. Ale niestety. Fotel był już zajęty.

Nie chciałem ruszać dzieciaka, bo wiedziałem, że się obudzi i znowu rozedrze.

No więc poszedłem do przodu wykopać Rodricka
z pierwszej klasy, żeby SAM poniańczył smarkacza.
Ale nie mogłem się do niego PRZEDRZEĆ. Podczas
turbulencji w jednym z wózków musiało się popsuć
kółko, bo zablokował przejście.

Mówi się trudno, musiałem zawrócić. Nie pytajcie jak,
ale zdołałem zasnąć na godzinkę czy dwie. Byłem tak
zmęczony, że nie obudziło mnie nawet lądowanie.

<u>Wtorek</u>

Tak bardzo denerwowałem się lotem, że w ogóle nie myślałem o MIEJSCU, do którego lecieliśmy. A kiedy wysiadłem z samolotu, znalazłem się w innym świecie.

Muszę przyznać, że gdy tylko owiało mnie tropikalne powietrze, zrozumiałem, dlaczego tata chciał prysnąć z domu.

Zgarnęliśmy nasze bagaże z taśmy i poszliśmy za znakami do autobusu.

Tropikalne powietrze było MEGA, ale klima w autobusie okazała się jeszcze LEPSZA. A siedzenia mieli tam fajniejsze niż w pierwszej klasie.

Gdy wszyscy pasażerowie załadowali się do środka, pojechaliśmy do kurortu. Nad naszymi głowami leciał filmik. MILION razy fajniejszy niż ten w samolocie.

Pokazywali w nim różne niesamowite rzeczy, które można było robić w ośrodku. A ja chciałem spróbować WSZYSTKIEGO.

Na przykład pływania z delfinami. ZAWSZE o czymś takim marzyłem.

Ale inne atrakcje TEŻ były ekstra. Miałem nadzieję, że można je ŁĄCZYĆ. Wtedy zdążyłbym z każdą przed powrotem do domu.

Nagle poczułem się dość podle, no bo tak narzekałem na ten wyjazd. Odwróciłem się do mamy i taty, żeby ich przeprosić. Ale wiecie co? Nie powinienem był odrywać wzroku od ekranu.

Kiedy wysiedliśmy z autobusu, przywitała nas obsługa.
Mama i tata dostali mrożone drinki.

Oddaliśmy bagaże ludziom w białych rękawiczkach,
a oni oznajmili, że zaniosą je do naszego pokoju.
Muszę powiedzieć, że byłem POD WRAŻENIEM.

Kobieta w recepcji wyjaśniła nam, jak wszystko działa.
Ośrodek był ALL-INCLUSIVE, czyli za nic nie musieliśmy płacić. Żadnej gotówki ani kart kredytowych.

Zamiast pieniędzy używało się kart z plastiku, które otwierały też pokoje.

Rodzice oświadczyli, że chcą mieszkać w tym samym miejscu, w którym spędzili miesiąc miodowy. Recepcjo- nistka jednak odparła, że od tamtych czasów DUŻO się zmieniło. Teraz ośrodek był podzielony na dwie części, Dzikość Serca i Krainę Łagodności.

Mama i tata mieszkali wtedy po dzikiej stronie, a tam dzieci nie miały wstępu. No więc kobieta po prostu pokazała nam na planie nasz hotel.

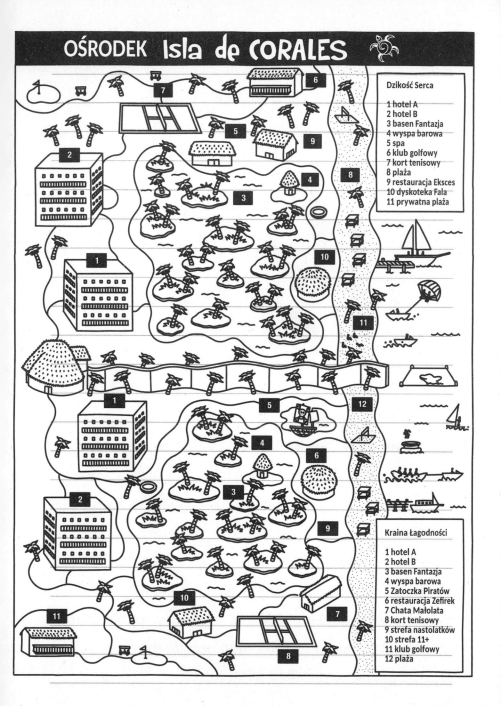

OŚRODEK Isla de CORALES

Dzikość Serca

1 hotel A
2 hotel B
3 basen Fantazja
4 wyspa barowa
5 spa
6 klub golfowy
7 kort tenisowy
8 plaża
9 restauracja Eksces
10 dyskoteka Fala
11 prywatna plaża

Kraina Łagodności

1 hotel A
2 hotel B
3 basen Fantazja
4 wyspa barowa
5 Zatoczka Piratów
6 restauracja Zefirek
7 Chata Małolata
8 kort tenisowy
9 strefa nastolatków
10 strefa 11+
11 klub golfowy
12 plaża

Zauważyłem, że tata nie jest zadowolony ze zmian. Mama z kolei powiedziała, że po zmianach jest nawet LEPIEJ. Bo to przecież wyjazd RODZINNY i nie musimy mieć wokół siebie tabunów imprezowiczów i zakochanych.

Mnie było wszystko jedno, po KTÓREJ stronie ośrodka zamieszkamy. Zwłaszcza że atrakcje najwyraźniej niczym się nie różniły. Zależało mi natomiast na fajnym POKOJU.

Gdy my, Heffleyowie, zatrzymujemy się w hotelu, zwykle mamy wspólny pokój. A ja muszę spać na sofie albo na łóżku polowym. No więc opadła mi szczęka, kiedy weszlismy do APARTAMENTU.

Były tam dwa pokoje i co prawda jedna łazienka, ale ja i Rodrick dostaliśmy OSOBNE wyrka, a o to mi chodziło. Mama i tata naprawdę NIEŹLE się wykosztowali.

W sypialni mojej i Rodricka był nawet telewizor. A co ważniejsze, w szafie znalazłem SZLAFROK.

Natychmiast go sobie zaklepałem. Chociaż Rodrick nie był nim ani trochę zainteresowany.

On zawsze się ze mnie nabija, kiedy w domu noszę szlafrok mamy. A moim zdaniem szlafroki są MEGA. I znam wielu gości, którzy by się ze mną zgodzili.

Prysznic w łazience mieliśmy WIELGACHNY. Podłogi, umywalki i inne rzeczy były z prawdziwego marmuru. Nad wanną zobaczyłem TV, a przy kibelku nawet TELEFON.

Gdybym mógł zamówić jedzenie do łazienki, miałbym w jednym miejscu wszystko, czego potrzebuję.

Z balkonu w pokoju rodziców widać było basen po dzikiej stronie, wielki jak nie wiem co.

Nie przypominał takich sobie zwyczajnych basenów. Wyglądał jak rzeka z wysepkami pośrodku. Mama powiedziała, że to jeden z największych basenów naturalnych na ŚWIECIE.

Totalnie się nakręciłem, bo przecież po NASZEJ stronie był taki sam basen. Chciałem od razu pójść i to sprawdzić, ale najpierw musiałem zmienić ciuchy.

Próbowałem otworzyć naszą dużą walizkę, tylko że ona NIE PUSZCZAŁA. Poprosiłem tatę o kluczyk, na co on odparł, że do tej walizki nie ma ŻADNEGO kluczyka. A potem spojrzał na nazwisko na walizce. I wiecie co? To nie było NASZE nazwisko.

Zrozumieliśmy, że przez pomyłkę zabraliśmy cudzy bagaż. Tata od razu rzucił się do telefonu, żeby zapytać, czy linie lotnicze mają jeszcze nasze rzeczy.

Ale ich pracownica powiedziała, że kiedy bagaż nie został odebrany, odesłali go na adres z walizki.

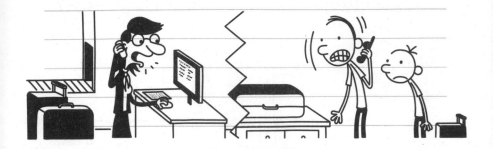

Cóż. To jeszcze nie był ZUPEŁNY koniec świata. Na lotnisku musieliśmy się przepakować do bagażu podręcznego, więc mieliśmy ze sobą trochę ciuchów.

Ja na przykład ocaliłem spodenki do pływania, chociaż niestety NIEWIELE więcej. Na przykład moje klapki i okulary przeciwsłoneczne zostały w dużej walizce. Ale tata powiedział, że w tutejszym sklepie sprzedają wszystko, czego potrzebujemy, więc poszliśmy na zakupy.

Tylko że w sklepie ceny były pięć razy wyższe niż w naszym mieście i tata oświadczył, że nie zamierza dać się oskubać.

Mama dodała, że możemy chodzić w tych samych ubraniach i prać je każdego wieczoru. No więc w końcu kupiliśmy tylko krem z filtrem i wiaderko z łopatką dla Manny'ego.

Potem mama nam przypomniała, że w tym miejscu trzeba używać filtra, bo jesteśmy blisko równika. Ale MNIE nie musiała przekonywać. Widziałem, co słońce potrafi zrobić z człowiekiem, i nie chcę na starość wyglądać jak rodzynek.

Właśnie dlatego wychodzę na dwór tylko wtedy, kiedy naprawdę muszę. A moi koledzy w przyszłości pożałują, że byli tacy NIEOSTROŻNI.

Sądziłem, że przyjeżdżając w święta, będziemy mieli ośrodek na wyłączność. Ale podobnie myślała cała kupa ludzi.

Zatłoczony był nie tylko BASEN. Ludzie kłębili się dosłownie WSZĘDZIE. I choć naprawdę miałem chęć na jacuzzi, to od razu mi przeszło, gdy je zobaczyłem.

W końcu znaleźliśmy stojące w cieniu leżaki i ściągnęliśmy ciuchy. Dało się zauważyć, że to środek zimy, bo wszyscy wyglądali tak samo jak ja. To znaczy byli obwiśli i sflaczali.

Od czasu do czasu myślę o tym, żeby zacząć ćwiczyć i trochę przypakować. Ale w przyszłości ludzkość na pewno wynajdzie na to jakąś pigułkę. I nie trzeba będzie wcale się wysilać.

Wtedy świetna forma zacznie być NORMALKĄ. A ludzie BEZ mięśni staną się megaatrakcyjni. Więc jeśli tylko utrzymam swój obecny plan ćwiczeń, przyszłość będzie należała do mnie.

Basen był zbyt zapchany, żeby pływać, więc nakryłem sobie głowę ręcznikiem i postanowiłem się zdrzemnąć.

Wiał lekki wiaterek, a ja zaraz odpłynąłem w niebyt. Ale w środku mojej drzemki wyskoczył skądś jeden koleś i wyrwał mnie z błogostanu.

Typek oświadczył, że jest Szefem Rozrywki. Najwyraźniej płacili mu za to, żeby każdy z gości się RUSZAŁ.

No a koleś był niestety naprawdę niezły w te klocki. Jakimś cudem nawet MNIE namówił do wzięcia udziału w zabawie.

Żałuję teraz, że tak się dałem ZROBIĆ, bo w tym tańcu było o wiele więcej dotykania, niż jestem w stanie ścierpieć.

Kiedy skończyliśmy tańczyć kongę, Szef Rozrywki powiedział, że następna gra – w Zatopiony Skarb – jest tylko dla dzieciaków. Nie interesowały mnie jakieś tam atrakcje dla maluchów, więc wróciłem na leżak. Ale wtedy gość przytargał wielkie wiadro DROBNIAKÓW.

Kazał wszystkim dzieciakom stanąć na brzegu basenu, a potem zaczął ciskać do wody całe garście gotówki. I to nie były jakieś tam JEDNOCENTÓWKI.

Widziałem wyraźnie dziesiątaki i ćwierćdolarówki.
Mogę się założyć, że wypatrzyłem nawet parę
srebrnych DOLARÓW.

Gdy wiadro zostało opróżnione, na dnie basenu leżało
jakieś czterysta dolców. A my czekaliśmy, aż Szef
Rozrywki da nam znak swoim gwizdkiem.

Kiedy to zrobił, zapanował totalny chaos.

Dałem nura i złapałem ze dwa dolary w drobnych.
Położyłem je obok swojego leżaka. Ale jakiś smarkacz
podkradł się i bezczelnie mnie obrabował.

Zresztą nie tylko ON oszukiwał. Jeden dzieciak
nurkował w SPODNIACH i napychał monetami
KIESZENIE.

Wkrótce WSZYSCY wzięli z niego przykład. Każdy chował drobniaki, gdzie tylko MÓGŁ.

Gdy wyczyściliśmy basen do zera, byłem do przodu o jakieś smętne trzy dolary. Inne dzieciaki wylazły już z wody, więc doszedłem do wniosku, że mogę trochę się popluskać.

Wyszukałem sobie kawałek cienia i oparłem plecy
o krawędź basenu. Ale wtedy w krzakach z tyłu
usłyszałem jakiś szelest. I nagle znalazłem się twarzą
w pysk z czymś, co wyglądało, jakby uciekło z „Parku
Jurajskiego".

Dostałem takiego przyspieszenia, że dosłownie biegłem
po WODZIE.

Poskarżyłem się ratownikowi, że jakiś DINOZAUR siedzi na brzegu basenu, i powiedziałem, że musi nas ewakuować, zanim komuś stanie się KRZYWDA.

Ratownik jednak w ogóle się nie przejął. Odparł, że ta olbrzymia jaszczurka to tylko IGUANA i że w całym ośrodku jest ich MNÓSTWO. Po czym dodał, że iguany też lubią sobie popływać.

Cóż, to stawia sprawy w NOWYM świetle. Moim zdaniem jaszczurki olbrzymki powinny siedzieć w ZOO, a nie bratać się z ludzkością.

Jeśli zaś chodzi o basen, to z nim już SKOŃCZYŁEM. Zapytałem mamę, czy możemy wrzucić coś na ząb.

Odparła, że to dobry pomysł, więc znaleźliśmy sobie restauracyjkę na patio.

Ale jedzenie na dworze okazało się pewnym problemem. Bo poza iguanami w ośrodku grasowały także gekony, salamandry i PRZERÓŻNE inne stworzenia wyłażące z chaszczy.

To zresztą były nie tylko JASZCZURKI. Na przykład cały czas musieliśmy zganiać ze stołu GOŁE ŚLIMAKI.

Kelner nalał do szklanek wody z dzbanka, ale mama nie pozwoliła nam jej pić. Powiedziała, że nasze żołądki nie są przyzwyczajone do tutejszych bakterii i że musimy się zaopatrzyć w wodę BUTELKOWANĄ.

Tata odparł na to jednak, że jemu NIC nie będzie, bo jest wytrawnym podróżnikiem i jego żołądek zniesie WSZYSTKO.

Ja w każdym razie nie zamierzałem ryzykować. Zamówiłem sobie napój w puszce i przelałem go do szklanki. Do tego wziąłem burgera i frytki.

Kiedy jedzenie wjechało na stół, nagle drzewa za nami obsiadło stadko ptaków. Najpierw w ogóle mi to nie przeszkadzało, bo gdy pojawiły się ptaszyska, jaszczurki wróciły w krzaki.

Jeden z ptaków zaczął skakać obok naszego stołu.
Wyglądał, jakby miał chorą nóżkę.

Ale to wszystko była ŚCIEMA. Bo kiedy my przyglądaliśmy się inwalidzie, jego KOMPANI sfrunęli z drzew i przypuścili atak na jedzenie.

Jakoś odgoniliśmy ptaki, chociaż ukradły nam połowę żarcia. Nie ruszyły tylko NAPOJÓW. Lecz tymczasem moją oranżadą poczęstowały się GOŁE ŚLIMAKI. Na szczęście zauważyłem je, zanim zacząłem pić.

To miejsce miało być RAJEM, a okazało się PIEKŁEM.

Marzyłem już tylko o tym, żeby wrócić do apartamentu i tam ZOSTAĆ. Ale mama powiedziała, że przecież dopiero zaczęliśmy się rozglądać. Wtedy tata oświadczył, że on też chciałby pójść do pokoju. Dodał, że jakoś źle się poczuł i że wszyscy moglibyśmy trochę odpocząć po locie.

Ruszyliśmy zatem w stronę hotelu. Po drodze tata musiał skorzystać z toalety w holu. A potem z łazienki obok siłowni. Czyli mama chyba miała rację z tą wodą.

Reszta dnia nie upłynęła za ciekawie dla NIKOGO z Heffleyów. Kiedy wreszcie dobrnęliśmy do apartamentu, tata zamknął się w kibelku, a mama posłała mnie do sklepu po jakieś lekarstwo na żołądek.

Tylko że etykiety na lekach nie były po angielsku. No więc wziąłem coś, co albo LECZY biegunkę, albo ją WYWOŁUJE.

Tak czy siak, lekarstwo raczej nie podziałało. Przez cały wieczór słuchaliśmy jęków i lamentów taty.

Puściłem jakiś film, żeby zagłuszyć odgłosy boleści. Ale okno w pokoju moim i Rodricka w ogóle się nie zamykało. I gdy tylko rozbłysnął ekran, cały rój ciem gęsto obsiadł telewizor.

W końcu musieliśmy dać sobie spokój z telewizorem.
No i wyłączyć WSZYSTKIE lampy, żeby ćmy odleciały.
W efekcie pół nocy spędziliśmy, po prostu siedząc
w kompletnej ciemności.

W sumie i tak byłem wykończony, więc pomyślałem,
że pójdę spać i cześć. Ale gdy tylko klapnąłem na łóżko,
w Dzikości Serca ktoś puścił muzykę. I wiecie co? Ci
ludzie balowali do BIAŁEGO RANA.

Czyste szaleństwo. Dopiero teraz sobie przypomniałem, że jest BOŻE NARODZENIE. Nie miałem pojęcia,
jak sytuacja się rozwinie, ale GORZEJ już chyba być
nie mogło.

Środa

Pewnie bym spał jakieś czternaście godzin, gdyby nie obudził mnie bladym świtem wrzask stada tropikalnych ptaków. Tuż za moim oknem.

Kiedy zwlokłem się z łóżka, mama była już na nogach. Powiedziała, że tata spędził calutką noc w łazience i że musimy go zostawić w spokoju, to może w końcu się wyśpi.

Byłem zdecydowany dać tym wakacjom drugą szansę, więc wskoczyłem w spodenki kąpielowe i ruszyłem do drzwi. Ale mama oświadczyła, że ja i Rodrick musimy najpierw pościelić łóżka i posprzątać swój pokój.

Przypomniałem jej, że jesteśmy na wakacjach i że wszystkim zajmie się sprzątaczka. Mama jednak oznajmiła, że nie będziemy żyć jak ZWIERZĘTA, tylko dlatego że jesteśmy poza domem.

Moim zdaniem w wyjazdach najlepsze jest właśnie to, że ktoś inny po nas sprząta. Niestety mama była niewzruszona. Obwieściła, że w tym tygodniu każdy z nas będzie SAM dbał o swoje rzeczy. Potem umieściła na klamce od zewnątrz wywieszkę NIE PRZESZKADZAĆ. Co oznaczało, że sprzątaczka nawet nie przyjdzie do naszego pokoju.

Zapytałem, jak niby mamy sobie wyprać ręczniki
i pościel, a mama odpowiedziała, że zwyczajnie,
w umywalkach. Tak samo jak ubrania.

A zatem nie żartowała, wspominając o praniu. No
i rzeczywiście. Gdy wszedłem do łazienki, Manny
szorował slipy taty. W dodatku jestem absolutnie
pewien, że używał do tego celu szczoteczki do zębów
Rodricka.

Osobiście uważam, że w hotelach najlepsze są właśnie
śnieżnobiałe ręczniki i prześcieradła. Mama jednak
powiedziała, że w hotelowych pralniach używa się tony
detergentów i że użycie powtórnie tego samego ręcznika
albo pościeli pomaga ratować środowisko naturalne.

Dopiero wtedy zauważyłem, że cała łazienka wytapetowana jest różnymi ogłoszeniami. No wiecie, hasłami, które mają sprawić, że człowiek poczuje się winny, prosząc o zmianę ręcznika.

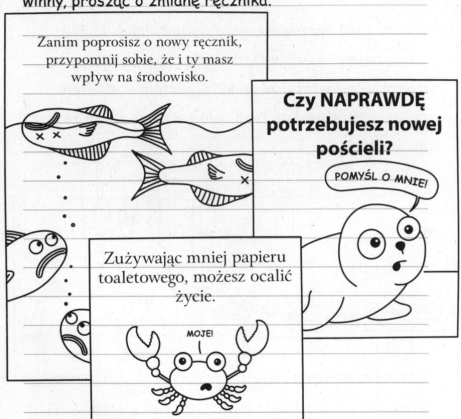

Zanim poprosisz o nowy ręcznik, przypomnij sobie, że i ty masz wpływ na środowisko.

Czy NAPRAWDĘ potrzebujesz nowej pościeli?

POMYŚL O MNIE!

Zużywając mniej papieru toaletowego, możesz ocalić życie.

MOJE!

Mama powiedziała, że wszyscy powinniśmy pójść na plażę, ja jednak postanowiłem dołączyć do nich później i wziąć najpierw prysznic. Prawda jest taka, że chciałem w spokoju NACIESZYĆ SIĘ łazienką. A gdyby mama była w apartamencie, zaraz by nudziła, że marnuję ciepłą wodę.

Niesamowite, ale prysznic był pod gołym niebem.
Potrzebowałem chwili, żeby się z tym OSWOIĆ,
bo miałem stracha, że ktoś może mnie podglądać.

Zapewne istnieją ludzie, którzy nie mają problemu
z nagością w miejscach publicznych, ja jednak do nich
nie należę.

I w ogóle sądzę, że przychodzenie na świat NAGO
nie jest w porządku. Od razu stawia to człowieka
w niezręcznej sytuacji.

Gdy tylko przywykłem do prysznica, natychmiast się od niego UZALEŻNIŁEM. To urządzonko miało mnóstwo różnych funkcji, na przykład „masaż" albo „pulsacje". Wypróbowałem każdą i chyba najbardziej przypadł mi do gustu „kapuśniaczek".

Spędziłem tam jakieś czterdzieści pięć minut. A kiedy mi się znudziło, wyszedłem spod prysznica i sięgnąłem po szlafrok. Ale gdy próbowałem wsunąć prawą stopę w kapeć, na COŚ natrafiłem.

Podniosłem kapeć i wytrząsnąłem go, a wtedy wyskoczył stamtąd OLBRZYMI pająk!

To naprawdę nie był ZWYCZAJNY pająk, tylko taki wielkości mojej DŁONI. Kiedy znalazł się na podłodze, dałem susa na umywalkę, żeby być od niego jak najdalej.

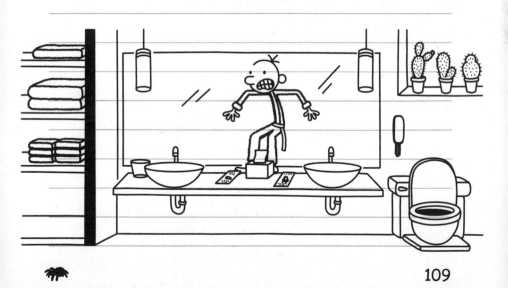

Boję się pająków od siódmego roku życia. To znaczy odkąd znalazłem w kącie naszego garażu coś, co wyglądało jak kłąb waty. Dotknąłem tego czegoś końcem miotły.

No ale to nie był kłąb waty, tylko KOKON. I wybiegły z niego tysiące pajęczych niemowlaków.

Kiedy jesienią zacząłem szkołę, nauczycielka kazała nam wypełnić kwestionariusz. Pytała w nim między innymi o to, kim chcemy zostać, jak dorośniemy.

Inne dzieciaki pisały, że kosmonautą albo weterynarzem. Ale nie JA.

Jaki jest twój ulubiony kolor?

NIEBIESKI

Jakie jest twoje ulubione zwierzę?

PIES

Kim zostaniesz, kiedy dorośniesz?

POSKRAMIACZEM PAJĄKÓW

Jeszcze dziś na widok pająka cofam się do czasów, gdy miałem siedem lat. Ja nawet nie mogę o tych stworzeniach CZYTAĆ.

Coś wam powiem. Gdybym żył w świecie bohaterów „Pajęczyny Charlotty" – tej powieści o przyjaźni pajęczycy i prosiaczka – to byłaby bardzo krótka książka.

Pomyślałem sobie, że na pewno mam PECHA i mój pająk jest JADOWITY. Podobno niektóre z nich gryzą swoją zdobycz, a potem oplatają siecią i pożerają żywcem. Cóż, to mało kusząca perspektywa.

Pająk z jakiegoś powodu w ogóle się nie ruszał. Albo myślał, że na podłodze go NIE WIDAĆ, albo tak samo jak ja zastanawiał się, co robić.

Przez chwilę rozważałem, czy nie rzucić w niego kapciem. Wtedy mógłbym uciec. Ale nie chciałem go ROZWŚCIECZYĆ. Takie kapcie to on z pewnością zjadał na podwieczorek.

Gdy wezwałem na ratunek tatę, z jego sypialni dobiegły tylko słabe jęki. I wtedy sobie przypomniałem, że w łazience jest TELEFON. Wystukałem 911. Po czym usłyszałem jedynie nagraną wiadomość.

Choć na telefonie były różne przyciski, żaden nie wydawał się specjalnie pomocny. W końcu wybrałem OBSŁUGĘ HOTELOWĄ.

Odebrała jakaś kobieta. Powiedziałem jej o pająku
i dodałem, że musi tu kogoś NATYCHMIAST przysłać.
Nie wiem, czy mówiłem zbyt prędko, czy miała problem
z językiem angielskim, w każdym razie ciągle tylko
pytała, co zamawiam na ŚNIADANIE.

W końcu się poddałem. Zamówiłem jajecznicę, a do
tego bekon. Naprawdę byłem gotów powiedzieć
WSZYSTKO, żeby tylko ktoś przyszedł.

Kiedy odkładałem telefon, pająk chyba zdenerwował
się tym dźwiękiem, bo przebiegł przez podłogę
i przycupnął tuż przy umywalce.

Teraz był jeszcze BLIŻEJ. Skamieniałem ze strachu.

Spędziłem tak jakieś piętnaście minut, prawie nie oddychając. Aż nagle zadzwonił telefon, co tak mnie zaskoczyło, że niemal straciłem równowagę.

To był kelner. Powiedział, że przyszedł ze śniadaniem, ale na drzwiach zobaczył wywieszkę NIE PRZESZKA-DZAĆ. No więc odniósł jedzenie do kuchni.

Oświadczyłem, że ma się WRÓCIĆ. I że może nawet wyważyć drzwi, jeśli zajdzie taka potrzeba.

Kiedy się rozłączyłem, pająk znów zaczął biegać. Bałem się, że odkryje, gdzie jestem, i mnie dorwie. Próbowałem znaleźć coś, czym mógłbym się BRONIĆ, ale w zasięgu ręki miałem tylko szklankę.

Zdałem sobie sprawę, że gdy pająk się zbliży, mogę go w tę szklankę ZŁAPAĆ. I rzeczywiście. Podbiegł do umywalki, a mnie udało się go schwytać.

Pająk zaczął wiercić się pod szklanką, ale nie mógł NIC zrobić. Ja tymczasem bardzo powoli zsunąłem się z umywalki. Nie spuszczałem go z oka. Lecz kiedy nagle się odwróciłem, wpadłem na KELNERA.

Pająk usłyszał hałas. Znów zaczął się wiercić, po czym ruszył przed siebie ze SZKLANKĄ. Najpierw nie przejąłem się tym szczególnie, bo przecież nadal był w środku. Potem jednak podreptał w stronę ODPŁYWU, gdzie podłoga trochę się obniżała, no i zdołał WYLEŹĆ.

A wtedy zrozumiałem, że kelner ma taki sam problem
z pajączkami jak ja.

Wiedziałem, że to ja muszę nas uratować, więc
spróbowałem nakryć pajączka kloszem na jedzenie.
Ale on biegał ZYGZAKIEM i to nie było proste.

Wreszcie schwytałem go na ścianie. Nie wiedziałem tylko, co DALEJ, bo gdybym podniósł klosz, pająk dałby drapaka i dalej biegał jak szalony.

Wtedy zauważyłem, że jedna z pajęczych nóg wystaje spod klosza.

Chciałem nakryć pająka jeszcze raz, porządniej, i wtedy niestety ta noga ODPADŁA.

Podobno pająkom czasem odpadają odnóża. On jednak NIE był tym zachwycony. Gdy wylądował na podłodze, znów zaczął biegać jak nakręcany, a ja, ze strachu, że mnie ugryzie, poruszałem się na czubkach palców.

Wtedy jednak pająk popełnił duży BŁĄD. Wspiął się na krawędź deski klozetowej, po czym WPADŁ do kibelka. Było mi trochę głupio, no ale nie wypłynął, więc nic nie mogłem dla niego zrobić. Zatrzasnąłem klapę, a kelner spuścił wodę.

Tak czy inaczej, obu nam ulżyło. Byliśmy w tym razem i udało nam się przeżyć.

Po incydencie z pajdkiem chciałem jak najszybciej opuścić pokój. Zabrałem ze sobą plan ośrodka, żeby znaleźć plażę, ale zgubiłem drogę i trafiłem pod mur oddzielający Dzikość Serca od Krainy Łagodności.

Chyba rozumiem, czemu po tamtej stronie nie lubią małolatów. Ale ta ściana to jednak lekka przesada.

Zacząłem się zastanawiać, czy w naszych kartach są jakieś urządzenia namierzające. Bo wówczas żaden dzieciak przekradający się na dziką stronę nie miałby szans.

WZDRYG

Gdy w końcu dotarłem na plażę, nie było tam gdzie SZPILKI wetknąć. A wtedy pomyślałem, że tak naprawdę mur ma uchronić zakochanych z TAMTEJ strony przed widokiem tego, co dzieje się po NASZEJ stronie.

Bo gdyby zobaczyli, co ich czeka w przyszłości, W ŻYCIU nie zdecydowaliby się na własne dzieci.

Mama wynajęła dla nas pawilon plażowy. Nie uśmie-
chało mi się dzielenie ŁÓŻKA z rodziną. Ale jakoś się
do tego zmusiłem, żeby zejść z palącego słońca.

Przypomniałem sobie, że identyczny pawilon widziałem na nagraniu w autobusie. To była romantyczna scenka z parą oglądającą zachód słońca.

Cóż, może tak to działa po TAMTEJ stronie. Bo na pewno nie po TEJ.

Mama powiedziała, że idzie z Mannym do toalety
i że ja i Rodrick mamy się nie oddalać. Dodała, że
zajęliśmy ostatni pawilon i że jeśli odejdziemy od
niego, ktoś od razu go sobie przywłaszczy.

Jedna z rodzin czekających na pawilon była
ZDECYDOWANIE nieplażowo ubrana. Starszego
dzieciaka rozpoznałem z zabawy w Zatopiony Skarb.
Chyba nikt nie powiedział tym ludziom, że nie nosi się
zimowych ciuchów przy ponad trzydziestu stopniach.

Biedacy wyglądali, jakby naprawdę potrzebowali
ochrony przed słońcem. Trochę dręczyło mnie
sumienie, więc unikałem kontaktu wzrokowego.

Wreszcie mama i Manny wrócili. Młody od razu poleciał zbierać na plaży muszelki.

Mama tymczasem wyciągnęła krem z filtrem, żeby posmarować plecy mnie i Rodrickowi. Całe szczęście, że tata tego nie widział. On zawsze dostaje szału, kiedy mama wyręcza nas w rzeczach, które jego zdaniem moglibyśmy robić SAMI.

Tak sobie myślę, że to część jakiegoś planu. Może mama nie chce, żebyśmy stali się samodzielni, bo wtedy nie będziemy jej POTRZEBOWALI? No cóż. Oby to się na niej nie ZEMŚCIŁO.

Bo jeśli ja i Rodrick trochę się nie ogarniemy, istnieje ryzyko, że jeszcze na uniwerku nie będziemy wiedzieli, jak obcinać paznokcie u stóp.

To jedna z rzeczy, którymi zwierzęta różnią się od ludzi. W szkole nam mówili, że kiedy niedźwiedziątko kończy półtora roku, matka wykopuje je do dziczy, żeby dawało sobie radę samo.

Ale my, ludzie, mieszkamy z rodzicami przez co najmniej OSIEMNAŚCIE lat, zanim staniemy się zdolni do przeżycia.

Jeśli kiedykolwiek zostanę ojcem, będę jak NIEDŹWIEDZIE. Dam sobie spokój z uczeniem dzieci niepraktycznych rzeczy. To znaczy alfabetu, kształtów czy kolorów.

Gdy tylko dzieciak stanie się zdolny do przejścia przez ulicę i złożenia zamówienia w barze szybkiej obsługi, wystawię go za próg.

Kiedy mama nasmarowała Rodricka, oświadczyła, że powinien się przejść do strefy nastolatków i nawiązać jakieś znajomości.

Nie sądziłem, że mój brat będzie tym zainteresowany, ale on rzeczywiście poszedł. Mama niesamowicie się ucieszyła, po czym powiedziała, żebym ja też dołączył do swoich rówieśników. Jakieś dzieciaki właśnie teraz bawiły się niedaleko nas w podchody.

Ale dla mnie było jasne, że te rzekome podchody to tak naprawdę sprzątanie plaży pod przykrywką, i nie zamierzałem dać się WROBIĆ.

Gdy Rodrick sobie poszedł, byłem zadowolony, bo to oznaczało więcej miejsca w pawilonie dla MNIE. Zaraz potem pojawił się jednak tata. Był biały jak ściana.

Myślałem, że dalej dokucza mu żołądek, ale nie. To było coś innego. Powiedział, że kiedy poszedł skorzystać z kibelka, zobaczył pod klapą OLBRZYMIEGO pająka. Co chyba oznaczało, że MÓJ pająk wcale nie utonął.

Zapytałem tatę, co ZROBIŁ, a on odparł, że w obronie własnej rzucił w pająka szlafrokiem, który leżał na podłodze. Cóż, w tej sytuacji nie ma szans, żebym go jeszcze kiedykolwiek UŻYŁ.

Zapytałem, czy pająk PRZEŻYŁ, ale tata nie wiedział. Jego zdaniem on po prostu ZNIKNĄŁ.

Po wysłuchaniu tej opowieści jednego byłem pewny. Że z naszej łazienki TEŻ więcej nie skorzystam. Na szczęście mogłem jeszcze brać prysznic na basenie.

Tata wyglądał na wstrząśniętego przygodą z pająkiem, więc mama poradziła mu, żeby się położył i głęboko oddychał. Tylko że właśnie wtedy wrócił Manny ze swoim wiaderkiem i pokazał nam, co znalazł na plaży.

Mama chyba sądziła, że zobaczy muszelki. Ale kubełek był wypełniony po brzegi krabami pustelnikami, ślimakami i innymi ŻYJĄTKAMI.

A teraz wszystkie te stworzenia rozłaziły się po NASZYM materacu.

Mama pozbierała nowych przyjaciół Manny'ego i powiedziała młodemu, że nie może ich zatrzymać, bo to nie są zwierzątka DOMOWE. Choć nie sądzę, by dzieciak coś z tego zrozumiał. A potem wzięła wiaderko i wypuściła żyjątka do wody.

PLUSK

Żeby zająć czymś ryczącego Manny'ego, mama poszła z nim do punktu informacji. Chciała sprawdzić, jakie atrakcje są przewidziane dla najmłodszych. Ja w sumie też chciałem zrobić coś więcej poza wylegiwaniem się na plaży, więc powlokłem się za nimi.

Jedyne, na co naprawdę czekałem z utęsknieniem, to pływanie z delfinami. Głównie DLATEGO, że chciałem mieć się czym chwalić Rowleyowi po powrocie do domu.

Ale gość z punktu informacji oświadczył, że pływanie z delfinami jest megapopularne i że wszystkie miejsca na ten dzień zostały zarezerwowane. Wtedy mama spytała, czy możemy się zapisać na jutro. Na co on odpowiedział, że ma zajęty cały TYDZIEŃ.

A to jeszcze nie było najgorsze. Okazało się, że wszystkie naprawdę CZADOWE atrakcje, takie jak pływanie skuterem wodnym czy szybowanie na spadochronie za motorówką, są dostępne tylko w Dzikości Serca. Większość atrakcji w Krainie Łagodności była BEZNADZIEJNA.

ROZRYWKI W KRAINIE ŁAGODNOŚCI

PŁYWANIE Z DELFINAMI	NURKOWANIE Z RURKĄ
WINDSURFING	SPACERY NA ŁONIE NATURY
SURFING Z WIOSŁEM	PODGLĄDANIE PTAKÓW
OGLĄDANIE WYKLUWAJĄCYCH SIĘ ŻÓŁWIKÓW	PŁYWANIE NA DMUCHANYM BANANIE

Ale mama wcale się nie zmartwiła. Zapisała nas na DWIE atrakcje. Pływanie na dmuchanym bananie i oglądanie wykluwających się żółwików.

Była naprawdę PODEKSCYTOWANA tą przejażdżką na dmuchanej łodzi. Powiedziała, że możemy zrobić sobie na niej wspólne zdjęcie i wysłać je jako kartkę świąteczną wszystkim bliskim i znajomym.

134

Dla mnie to było dość OBCIACHOWE, no ale nic nie mogło przebić kartki, którą wysłała w tym roku rodzina Rowleya.

Mama kazała mi znaleźć Rodricka, więc użyłem planu, żeby zlokalizować strefę nastolatków.

Choć pewnie odszukałbym ją i BEZ planu.

Część nastolatków grała w basenie w siatkówkę
i właśnie tam wypatrzyłem Rodricka. Trafiłem na
moment, w którym gra została na chwilę przerwana,
bo jednej dziewczynie kolczyk w wardze zaplątał się
w siatkę. Mój brat pomagał jej go odczepić.

Powiedziałem, że musimy iść, ale mojemu bratu niespecjalnie się spieszyło. Musiałem go w końcu WYWLEC z basenu.

Reszta Heffleyów czekała już na kamizelki ratunkowe. Mama dała swój aparat gościowi od kamizelek i poprosiła, żeby w którymś momencie sfotografował nas na bananie.

Weszliśmy do wody i wspięliśmy się na łódkę, która była przywiązana liną do ślizgacza. Daliśmy znak, że jesteśmy gotowi, i popłynęliśmy.

Kiedy tylko znaleźliśmy się na głębszej wodzie,
zaczęliśmy nabierać szybkości. Woda była wzburzona,
a gdy trafiliśmy na wysoką falę, Rodrick, Manny i ja
zlecieliśmy z łódki. Facet ze ślizgacza musiał zatoczyć
koło, żebyśmy mogli wdrapać się z powrotem.

Potem przepływaliśmy przez miejsce, w którym
dzieciaki skakały z trampoliny. No i na nasz widok
chyba doszły do wniosku, że banan będzie świetnym
lądowiskiem.

Jeden z tych głupoli wylądował dokładnie na środku banana i go PRZEDZIURAWIŁ.

SSSYK

Z banana szybko uchodziło powietrze, więc facet ze ślizgacza musiał nas odholować na brzeg. Gość z aparatem strzelił nam fotkę, ale nie sądzę, byśmy użyli jej jako kartki świątecznej.

Spokojnych świąt z rodziną

życzą Heffleyowie

Kiedy już wyschliśmy, mama powiedziała, że czas coś zjeść. Ale tymczasem nasz pawilon zajęli rodzice dzieciaka z samolotu. No cóż. Jedzenie pod gołym niebem i tak nie wydawało się dobrym pomysłem.

Dotarło do mnie, że od dwóch DNI nie zjedliśmy nic konkretnego, i nie chciałem, aby także tym razem dzikie zwierzęta rzuciły się na mój obiad.

Tata stwierdził, że możemy pójść do klubu golfowego, bo tam jest jedyna restauracja pod dachem. Wszyscy zgodziliśmy się, że to niezła myśl.

Ale gdy dotarliśmy do klubu, szef sali oświadczył,
że nie może nas obsłużyć. W restauracji dla golfistów
obowiązywał odpowiedni ubiór, to znaczy panowie
musieli mieć koszulki z kołnierzykiem, a panie sukienki.

Tata powiedział szefowi sali, że NIE mamy eleganckich
ubrań, na co on odparł, że znajdziemy je w sklepiku
z pamiątkami. Tata jednak oświadczył, że W ŻYCIU
nie kupi czterech koszulek po pięćdziesiąt dolców
tylko po to, żebyśmy dostali coś do jedzenia.

W tej sytuacji musieliśmy poszukać innego lokalu.
Rodrick chciał się urwać na hot doga w strefie
nastolatków, ale mama oznajmiła, że zjemy razem
jak RODZINA.

Byłem pewny, że na wyspie barowej mają burgery i frytki, więc postanowiliśmy pójść na basen i to sprawdzić. Dopiero kiedy złożyliśmy zamówienie, zrozumiałem, że popełniliśmy błąd. Bo to było jak jedzenie obiadu w jacuzzi z bandą obcych ludzi.

I żeby to byli tylko LUDZIE. Tak się składa, że na końcu baru sączyła drinki MAŁPA.

Tata zapytał barmankę, o co chodzi z tą małpą, a ona opowiedziała nam jej smutną historię. Kiedyś małpa żyła sobie na dużym drzewie z INNYMI małpami i była kimś w rodzaju szefa. Ale potem MŁODSZA małpa zajęła jej miejsce i wykopała ją z drzewa.

Biedaczka nie miała dokąd pójść, więc pewnego dnia wpadła do baru, a ludzie zaczęli stawiać jej drinki. No i od tamtej pory codziennie tu przesiaduje.

NAPRAWDĘ nie wiedziałem, co mam o tym myśleć.

Pewne było jedno. Nie czułem się swobodnie, jedząc obiad w tej samej wodzie co małpa.

W telewizji właśnie pokazywali jakieś ważne zawody sportowe. Ludzie nie odrywali wzroku od ekranu. Aż nagle jakimś cudem Manny położył łapy na pilocie i odszukał kanał dla maluchów.

Wszyscy się domagali, żeby Manny PRZEŁĄCZYŁ na kanał sportowy, ale kiedy młody chce obejrzeć swój program, NIC go nie powstrzyma.

W barze niemal wybuchły ZAMIESZKI, więc mama szybko zgarnęła Manny'ego i wybyliśmy stamtąd, zanim zdążyłem dokończyć burgera.

Rodrick wrócił do strefy nastolatków, a rodzice zabrali młodego do apartamentu, żeby uciął komara.

Naprawdę nie chciałem ryzykować, że znów wpadnę na PAJĄKA, więc postanowiłem spędzić resztę popołudnia w salonie gier.

Monety, które znalazłem podczas zabawy w Zatopiony Skarb, musiały mi wystarczyć na dwie i pół godziny. Ale niektóre dzieciaki tak się wtedy obłowiły, że mogły teraz grać całymi DNIAMI.

Kiedy zaczęło się ściemniać, pomyślałem, że pora wracać. Ale zaraz potem natknąłem się na mamę, tatę i Manny'ego.

Mama powiedziała, że idą zobaczyć ognisko na plaży.
I że potem będziemy oglądać wykluwające się żółwie.
Ale najpierw musieliśmy odnaleźć RODRICKA.

Tym razem WSZYSCY poszliśmy do strefy
nastolatków. Tylko że już zapadł zmrok i wcale nie
było łatwo wypatrzyć tam Rodricka. A kiedy wreszcie
nam się UDAŁO, mój brat nie okazał szczególnego
zachwytu.

W drodze na plażę mama powiedziała Rodrickowi, że
jesteśmy na RODZINNYM wyjeździe i że to nie czas
ani miejsce na „wakacyjny romans".

Ale wtedy Rodrick oświadczył, że z tą dziewczyną to POWAŻNA sprawa. I że chcą ze sobą spędzić jak najwięcej czasu.

Byłem w lekkim szoku. Zdawało mi się, że po dwóch dniach w Krainie Łagodności Rodrick zupełnie obrzydzi sobie romanse. Ale kto wie? Może kiedyś przyjedzie tu ze SWOJĄ rodziną?

Na plaży wielu ludzi zebrało się już wokół ogniska. Ale ta impreza była porażką z powodu ROBALI. Najpierw do oczu i ust wlatywały nam meszki.

Potem pchły piaskowe pogryzły nam kostki. A później napoczęły nas KOMARY, które były wielkości kolibrów.

Ktokolwiek nazwał to miejsce rajem, musiał mieć szczególne poczucie humoru. Tam gdzie mieszkamy, na końcu łańcucha pokarmowego znajdują się ludzie. Ale nie tutaj. W ośrodku Isla de Corales wszystko próbuje ludzi ZEŻREĆ.

Strasznie chciałem wrócić do pokoju, bo TAM byłem narażony na tylko JEDNEGO pająka. Ale wtedy pojawiła się nasza przewodniczka i powiedziała, że oglądacze żółwi mają pójść za nią na wydmy.

Wyjaśniła nam też, jak rodzą się żółwiki. Najpierw ich matka kopie norkę na wydmach, potem składa w niej jaja, a parę miesięcy później żółwiątka się WYKLUWAJĄ. I idą w stronę oceanu.

Później pokazała nam zagrzebany w piasku kopczyk jajek i oświadczyła, że wokół jest takich MNÓSTWO. Cały problem polegał na tym, że nikt nie wiedział, KIEDY żółwiki zaczną się wykluwać.

Było zupełnie ciemno, a ja umierałem ze strachu, że nadepnę niechcący na jajko. No więc zrobiłem parę kroków do tyłu, żeby opuścić to pole minowe, i wtedy coś chrupnęło mi pod nogami.

Na szczęście to była tylko muszla. Ale i tak żołądek podjechał mi do GARDŁA.

Tak w ogóle to nie jestem specjalnym fanem gadów. Ale zdecydowałem, że dla żółwi zrobię wyjątek.

Powiedzmy to sobie otwarcie. Sterczeliśmy tam TYLKO dlatego, że żółwiątka są SŁODKIE.

Gdyby chodziło o wykluwanie się malutkich WĘŻY,
sporo ludzi oblałoby egzamin z CZŁOWIECZEŃSTWA.

Już chciałem powiedzieć mamie, że powinniśmy dać
sobie spokój i wrócić do pokoju, gdy nagle się zaczęło.

Wszyscy byliśmy totalnie podekscytowani, ale przewodniczka kazała nam przestać hałasować i zejść żółwikom z drogi. Powiedziała, że żółwiątka trafiają do oceanu, bo widzą odbite w wodzie światło księżyca.

Ludzie jednak w ogóle jej nie słuchali. Włączyli w komórkach aparaty i pstrykali zdjęcia. A żółwiki, zdezorientowane błyskającymi fleszami, zaczęły się rozłazić we wszystkich możliwych kierunkach.

Wzruszona mama oznajmiła, że jesteśmy świadkami „cudu narodzin". Zapytała, gdzie Rodrick, ale nikt z nas nie wiedział. Tata oświadczył, że ostatnio go widział w rosnącej na wydmie kępie wysokiej trawy.

I tam też go znaleźliśmy.

To MÓGŁBY być już koniec tego długiego wieczoru.
Ale nie był. Po powrocie do apartamentu odkryliśmy,
że kiedy nikt nie patrzył, Manny wsadził sobie do
kieszeni jednego żółwika. No więc tata musiał pójść
jeszcze raz na plażę i wypuścić żółwiątko do wody.

<u>Czwartek</u>

Mama chyba nie była zachwycona naszym rodzinnym wyjazdem, bo po śniadaniu oznajmiła, że robi sobie „dzień w spa".

Pomysł wydał mi się SUPERFAJNY, więc powiedziałem, że ja też w to wchodzę. Zawsze chciałem załapać się na masaż i czułem, że takiej okazji nie mogę zmarnować.

Mama jednak odparła, że potrzebuje czasu tylko dla SIEBIE i że musimy radzić sobie sami. Co oznaczało, że to MY mamy zająć się Mannym.

Kiedy mama wyszła, wszyscy trzej gorączkowo myśleliśmy, co tu zrobić. Cały dzień z Mannym nie wchodził w grę, więc zaproponowałem, żebyśmy po prostu odstawili młodego do Chaty Małolata i pozwolili zająć się nim profesjonalistom.

Do taty przemówiła ta myśl. Powiedział, że chce potrenować trochę na siłowni, więc my dwaj jesteśmy odpowiedzialni za odprowadzenie Manny'ego do Chaty Małolata. I poszedł.

Ja i Rodrick ruszyliśmy wzdłuż muru, za którym zaczynała się dzika strona. Jakieś dzieciaki chyba chciały zapuścić tam żurawia, ale ogrodnicy ostudzili ich zapędy.

156

CHLUST

Ja też byłem ciekaw, co właściwie dzieje się za murem, i zapytałem Rodricka, jak sądzi. Na co on odparł, że nie musi sądzić, bo WIE. Jego kumple ze strefy nastolatków opowiedzieli mu o SZALEŃSTWACH, które tam odchodzą. Na przykład o plaży, na której ludzie opalają się bez ciuchów.

Dodał, że w murze jest DZIURA i że można przez nią zajrzeć. Ale ja czułem, że próbuje mnie nabrać, bo już wcześniej wycinał mi podobne NUMERY.

Pewnego lata powiedział mi na basenie, że jeśli wdrapię się na murek z pustaka i spojrzę w dół, zobaczę przebieralnię dziewczyn.

UWIERZYŁEM mu. I do dziś próbuję wymazać ten obraz z pamięci.

Podrzuciliśmy Manny'ego do Chaty Małolata, gdzie maluchy robiły pacynki. Powiedziałem chłopakowi, który był tam szefem, że zostawiamy naszego małego braciszka i wpadniemy po niego później.

Chłopak odparł, że możemy go zostawić, ale pod jednym warunkiem. Dziecko musi umieć korzystać z nocnika. No więc zapewniłem go, że Manny POTRAFI.

Ale młody chyba nie chciał robić pacynek, bo szybko się z tego wywinął.

Rodrick powiedział, że w takim razie SAM będę niańczyć Manny'ego, bo on ma swoje zajęcia w strefie nastolatków. Ja jednak wiedziałem, że chodzi o tę dziewczynę.

Nie byłem zachwycony, gdy utknąłem z Mannym. Nie chciałem ciągnąć go ze sobą na plażę, bo znowu zacząłby zbierać do wiaderka przyjaciół.

No więc poszliśmy do Zatoczki Piratów. Czyli do miejsca, w którym chlapały się i pluskały takie jak on maluchy.

To było ŚWIETNE rozwiązanie, bo mogłem zażywać relaksu na leżaku, a jednocześnie mieć oko na młodego. Zamówiłem sobie nawet u kelnera kanapkę z przypieczonym serem i frytki.

Ale nie mogłem w spokoju nacieszyć się posiłkiem. Jakieś dzieciaki na statku pirackim odkryły, że jeśli zatkają otwór jednej armatki wodnej, to z drugiej chlusta DWA razy dalej.

Musiałem odsunąć leżak na bezpieczną odległość. A gdy z powrotem sobie klapnąłem, zrozumiałem, że straciłem z oczu MANNY'EGO. W końcu go wypatrzyłem na środku brodzika, samiutkiego jak palec.

Wiedziałem, że muszę po niego pójść. Choć naprawdę wolałbym tego UNIKNĄĆ. Tylu smarkaczy taplało się w brodziku, że nie miałem złudzeń co do JAKOŚCI wody.

Kiedy byłem mały, sikałem do brodzika NA OKRĄGŁO. W naszym salonie stoi nawet zdjęcie, na którym załatwiam się do basenu. Choć wiem o tym tylko ja.

Mama mówi, że to jej ulubiona fotografia, bo jestem na niej taki SZCZĘŚLIWY. A ja nigdy nie powiedziałem jej DLACZEGO.

Pewnego lata ratownicy z basenu miejskiego dodali do wody jakichś chemikaliów. Jeśli ktoś popuścił, zabarwiała się na zielono. I to był KONIEC podstępnego sikania.

Teraz musiałem wykombinować, jak wyciągnąć Manny'ego z brodzika bez wchodzenia do wody. W końcu skołowałem sobie dmuchaną tratwę i makaron do nauki pływania.

CHLUP

Kiedy byłem w połowie drogi do Manny'ego, jacyś smarkacze zaczęli wdrapywać się na moją tratwę. Próbowałem postrącać ich makaronem, ale mieli PRZEWAGĘ LICZEBNĄ.

RAB

A potem się namówili, żeby mnie WYWRÓCIĆ.

Wyciągnąłem Manny'ego z brodzika, po czym spędziłem dwadzieścia minut pod prysznicem, szorując zawzięcie każdy milimetr ciała.

Ale gdy tylko wyschnąłem, znów byłem MOKRUSIEŃKI. Małolaty ze statku pirackiego obczaiły, że kiedy zatkają wyloty dwóch armatek, trzecia uzyska MEGAZASIĘG rażenia.

Zacząłem wycierać się po raz DRUGI i wtedy znalazła nas mama. Po spędzeniu poranka w spa była zupełnie nowym człowiekiem.

Oświadczyła, że podczas masażu wpadła na GENIALNY pomysł, jak moglibyśmy rodzinnie spędzić czas. Wykupiła prywatny rejs, a łódź miała na nas czekać w porcie za pół godziny.

Nie zostało dużo czasu, więc musieliśmy się rozdzielić, żeby namierzyć tatę i Rodricka. Powiedziałem mamie, że tata jest na siłce.

Ja natomiast znalazłem Rodricka dokładnie tam, gdzie się go spodziewałem. Wierzcie mi, ma u mnie dług za to, że przyszedłem BEZ mamy.

Z resztą Heffleyów spotkaliśmy się w porcie. Tata nie był zachwycony, bo wynajęcie łodzi kosztowało chyba majątek. Ale mama powiedziała, że to będzie niezapomniane przeżycie i że taki rejs jest WART swojej ceny.

Kiedy słyszę słowo „rejs", od razu widzę jacht albo przynajmniej nieźle podrasowaną żaglówkę.

Ale łajba, którą wynajęła mama, nie była niczym szczególnym.

Łódź miała jednak swojego kapitana, a to już było COŚ. Kiedy weszliśmy na pokład, dostaliśmy kamizelki ratunkowe i odbiliśmy od brzegu.

Od razu zauważyłem, że łódź ma przeszklone dno. I poczułem się okropnie NIESWOJO.

Ten sprzęt raczej nie był w doskonałej formie. Miałem stracha, że szkło nagle pęknie i wszyscy skończymy w odmętach oceanu.

Założę się, że 50% wszystkich wraków na świecie to łodzie z przeszklonym dnem.

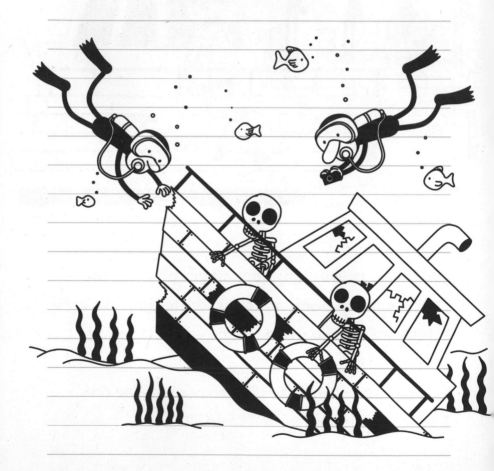

Kiedy już wypłynęliśmy na szerokie wody, kapitan zapytał mamę, co chciałaby zobaczyć. Powiedział, że są tu prywatne wyspy, które można zwiedzać, a ona bardzo się do tego ZAPALIŁA.

Szybko jednak odkryliśmy, że prywatność tych wysp pozostawia wiele do życzenia, i daliśmy sobie z nimi spokój.

Wtedy kapitan opowiedział nam o pobliskiej rafie koralowej. Oświadczył, że na ogół nie ma na niej tłumów, więc moglibyśmy popływać trochę z rurką.

Czyli zanurzyć się w najprawdziwszym oceanie, pełnym rozmaitych oceanicznych STWORZEŃ. Nie byłem fanem tego pomysłu. Lecz oczywiście tylko ja jeden.

Kiedy dotarliśmy do rafy, kapitan rzucił kotwicę i dał nam maski, rurki oraz płetwy.

Zapytałem, czy ma na pokładzie jakieś HARPUNY albo inną broń, której moglibyśmy użyć podczas ataku rekina.

Odparł, że rekiny nie zbliżają się do raf. A wtedy ja powiedziałem, że jeśli taki rekin zobaczy kąpiącą się bezbronną rodzinę, na pewno z radością zrobi dla niej wyjątek.

On oznajmił jednak, że rekiny nie podpływają do raf, bo pnie koralowców są OSTRE. I że my TEŻ nie powinniśmy ich dotykać.

I tu zapaliła mi się PIERWSZA czerwona żaróweczka. Ale potem było już tylko GORZEJ.

Facet powiedział, że istnieje szansa natknięcia się pod wodą na płaszczki. Dodał, że wolno nam dotykać ich płetw, ale powinniśmy trzymać palce z daleka od pysków, bo płaszczki mogą je wziąć za karmę dla rybek.

Stwierdził też, że płaszczki mają kolce jadowe na ogonach i że o tym RÓWNIEŻ musimy pamiętać.

To jednak nie był KONIEC. Wyszło na jaw, że powinniśmy wystrzegać się także różnych INNYCH stworzeń. Kapitan pokazał je nam na tablicy.

Niektóre z nich wyglądały bardzo groźnie, ale mnie przeraziły wcale nie te NAJWIĘKSZE. Przeciwnie, zmartwiałem na widok NAJMNIEJSZEGO stwora. Meduzy zwanej OSĄ MORSKĄ.

Oglądałem kiedyś program „Najjadowitsze zwierzęta świata". I osa morska była tam numerem jeden. Gdy ta meduza kogoś poparzy, jego serce może się zatrzymać. A wtedy koniec pieśni.

Powiedziałem mamie, że chyba nie warto narażać życia tylko po to, żeby zobaczyć złotą rybkę w naturze. Zauważyła, że się denerwuję, ale nie odpuściła mi tak łatwo.

Oświadczyła, że najpierw zrobimy sobie w wodzie rodzinne zdjęcie, a potem, jeśli zechcę, mogę wrócić na pokład.

Wyraźnie się uparła na tę kartkę świąteczną, więc nie było z nią żadnej dyskusji.

Odparłem, że okej, zrobię sobie z nimi JEDNO zdjęcie. Jeśli ktoś akurat wtedy MRUGNIE, to trudno, jego strata. Mama zgodziła się na taki układ, a potem jedno po drugim weszliśmy do wody. Ja na samym końcu.

PLUSK

Tylko że kapitan nie mógł rozkminić aparatu mamy
i pozowanie trwało całą WIECZNOŚĆ.

Naprawdę nie podobało mi się uczucie, że pode mną
przepływa NIE WIADOMO CO, więc się przemogłem
i zajrzałem w głąb. A tam było OBŁĘDNIE. Nagle
zrozumiałem, czemu ludzie tak bardzo lubią nurkować
i pływać z rurką.

W pewnej chwili otoczyła mnie wielka ławica niebiesko-
-zielonych rybek. Pomykały tu i tam, zmieniając kierunek
dwa razy na sekundę.

Najpierw pomyślałem, że to CZADOWE. Potem jednak
zdałem sobie sprawę, że tak zachowują się zwierzęta,
kiedy uciekają przed DRAPIEŻNIKIEM.

Nie widziałem pod wodą żadnych rekinów, więc
zacząłem się rozglądać po powierzchni. W poszukiwaniu
PŁETWY.

Kapitan wreszcie obczaił aparat mamy i był gotów
zrobić nam zdjęcie. Ja jednak zmierzałem już w stronę
łódki.

A wtedy przed moją maską przepłynął konik morski, co totalnie mnie zaskoczyło. Rurka mi się zanurzyła i niechcący wypiłem HAUST wody. No i mam prawie stuprocentową pewność, że połknąłem TEŻ tego konika.

Ze strachu zacząłem konkretnie świrować. Myślę, że mógłbym UTONĄĆ, gdyby kapitan nie wciągnął mnie na pokład.

Wykasłałem całe mnóstwo wody. Ale żadnego konika morskiego.

Mama też wspięła się na pokład. Chciała zobaczyć, czy wszystko w porządku. Zauważyła, że nie czuję się dobrze, i powiedziała kapitanowi, żeby zawracał, bo musi obejrzeć mnie lekarz. Więc kiedy wszyscy wyszli z wody, popłynęliśmy do portu.

W drodze powrotnej bardzo kołysało. Wystarczająco, żeby dostać mdłości. Chociaż mdliło mnie i BEZ tego.

Osiągnęliśmy niezły czas. A gdy dobiliśmy do brzegu, kapitan zostawił nas na pomoście.

Doktor zatrudniony w ośrodku już czekał. Gdy mu opowiedziałem, co się wydarzyło, byłem PEWNY, że wyśle mnie do najbliższego szpitala, gdzie prześwietlą mi żołądek.

Ale on obejrzał mnie tylko i powiedział, że wszystko W PORZĄDKU. Dodał, że to mało prawdopodobne, abym połknął konika morskiego, i że nic mi nie będzie.

Nie podobał mi się jego lekceważący stosunek do sprawy. Prawdę mówiąc, ten człowiek był dużo bardziej zaniepokojony stanem mamy i taty niż MOIM.

Stwierdził, że chyba mają chorobę morską. Dał każdemu z nich po pigułce i dodał, że poczują się lepiej, kiedy trochę odpoczną.

Powiem tak. Jeśli jednak ciężko się rozchoruję, będzie go gryźć sumienie. Bo miał szansę mnie URATOWAĆ, ale NIC nie zrobił.

Rodzice znaleźli jakieś wolne leżaki przy basenie, więc usiedliśmy, żeby odsapnąć.

I wtedy pojawił się Szef Rozrywki ze swoim tańcem konga. Próbował wciągnąć nas do zabawy.

Najwyraźniej nie rozumiał naszej mowy ciała, bo nie przestawał pląsać. Ale nagle stanął jak wryty. Coś zobaczył w wiaderku Manny'ego.

Dla MNIE to wyglądało jak przezroczysta torebka foliowa pływająca w wodzie. Ale Szef Rozrywki podniósł wiaderko wyżej, żeby popatrzeć z bliska.

I wtedy się okazało, że to nie jest ŻADNA torebka. To była MEDUZA. Ale nie jakaś tam pierwsza lepsza meduza, tylko OSA MORSKA!

Szef Rozrywki poleciał do najbliższego ratownika, który zaczął gwizdać. I zaraz gwizdali już WSZYSCY ratownicy. Zapewniam was, nigdy nie widzieliście tylu ludzi opuszczających basen tak SZYBKO.

My, Heffleyowie, uznaliśmy, że lepiej będzie dla nas, jak też się stamtąd zwiniemy.

W drodze do hotelu zauważyliśmy, że nie ma z nami Rodricka. Mama powiedziała, że pewnie dał nogę, bo chciał się znowu zobaczyć z dziewczyną. Ale w strefie nastolatków wcale go nie było.

Wtedy dotarło do nas, że już od DAWNA nie widzieliśmy Rodricka. Prawdę mówiąc, nie mogliśmy sobie nawet przypomnieć, czy wrócił z nami z rafy koralowej.

A to oznaczało jedno. Że on tam NADAL jest.

Na łeb na szyję pogalopowaliśmy do portu. Łódka wypłynęła już w kolejny rejs, ale mama złapała gościa od dmuchanego banana i powiedziała mu, co się stało. Wskoczyliśmy do jego ślizgacza, a on zabrał nas na rafę.

No i jasna sprawa. Rodrick był dokładnie tam, gdzie go zostawiliśmy. ŻYWY. Ale za to w kolorze BURAKA.

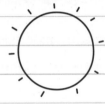

Kiedy wróciliśmy do ośrodka, lekarz powiedział, że Rodrick ma udar słoneczny, więc musi pić dużo wody i odpoczywać. Dał też mamie butelkę soku z aloesu, ponoć świetnego na poparzenia.

Aloes chyba jednak nie bardzo pomagał, bo w końcu mama wysłała tatę do sklepu po coś skuteczniejszego. I właśnie dlatego przez resztę nocy wcieraliśmy Rodrickowi w plecy lody na patyku.

Piątek

Następnego ranka tata poszedł po kolejne pudło lodów na patyku i wrócił z nowiną. Żeby odnaleźć meduzę, z basenu spuszczono wodę. Dopiero teraz napełniano go od nowa. Co oznaczało, że będzie nieczynny przez całe TRZY dni.

Pomyślałem, że w tej sytuacji powinniśmy zaszyć się w apartamencie na resztę naszego pobytu, bo ludzie na pewno będą szukać rodziny, która popsuła im wakacje. Ale mama oświadczyła, że nie spędzimy naszych ostatnich dni w tropikach zamknięci w czterech ścianach.

Kazała tacie zabrać Manny'ego do Zatoczki Piratów, a mnie zobaczyć, co ciekawego się dzieje w strefie 11+.

Naprawdę nie chciałem wychodzić z pokoju. Lecz to i tak chyba było lepsze niż ryzyko kolejnego spotkania z pająkiem.

Idąc do strefy 11+, miałem nadzieję na zawody w grach wideo albo coś w tym guście. Ale dorośli wymyślili, że będziemy grać w TENISA.

Najpierw zamierzałem to sobie darować, bo nie byłem w nastroju, żeby się przemęczać.

Nagle jednak dotarło do mnie, że Rowley gra w tenisa w klubie. I doszedłem do wniosku, że ja też mógłbym się tego nauczyć. A potem machnąć z nim parę setów.

Opiekun o imieniu Rodrigo zabrał nas na kort.

Myślałem, że Rodrigo będzie naszym trenerem. Ale gdy ostatni dzieciak znalazł się za ogrodzeniem, on nas po prostu ZAMKNĄŁ.

Wtedy zrozumiałem, że w tych wszystkich „zajęciach dla dzieci" chodzi wyłącznie o jedno. Żebyśmy przez parę godzin nie plątali się rodzicom pod nogami.

Kort tenisowy był wielgachną KLATKĄ, a my przez najbliższe półtorej godziny WIĘŹNIAMI. Nawet nie mogliśmy zagrać w tego całego tenisa, bo Rodrigo nie zostawił nam RAKIET.

Na szczęście zostawił nam PIŁKI. Były ich całe setki w koszyku na środku kortu. Najpierw dzieciaki po prostu rzucały je i łapały, ale potem zrobił się z tego zbijak, w którym każdy walił w każdego.

Stanąłem przy ogrodzeniu razem z innymi, którzy nie chcieli dostać w twarz piłką tenisową. Ale to dało tylko taki skutek, że wystawiliśmy się na STRZAŁ.

No więc zaczęliśmy ODDAWAĆ. Ktoś wpadł na to, jak włączyć wyrzutnię piłek, więc używaliśmy jej do obrony własnej.

Nigdy dotąd nie byłem po stronie zwycięzców podczas takich akcji i muszę przyznać, że to SUPERSPRAWA.

Ale nic nie trwa wiecznie. Nagle rozpoznał mnie jeden z dzieciaków, które poprzedniego dnia tańczyły kongę. Powiedział wszystkim, że to przez MOJĄ rodzinę trzeba było spuścić wodę z basenu.

Próbowałem wyjaśnić, że to tylko nieszczęśliwy wypadek i że mój mały braciszek po prostu chciał się zaprzyjaźnić z meduzą. Ci goście byli jednak naprawdę wściekli, a teraz znaleźli sobie kozła ofiarnego.

Musiałem się stamtąd WYDOSTAĆ. Furtka była zamknięta. A więc mogłem jedynie WSPIĄĆ SIĘ po ogrodzeniu.

Na wuefie nie potrafię nawet wejść po ściance wspinaczkowej, którą mamy w sali gimnastycznej. Ale tu chodziło o moje życie. I dlatego wdrapałem się po ogrodzeniu jak sam CZŁOWIEK-PAJĄK.

Potem pobiegłem do Rodriga po pomoc. Ale ten koleś
był totalną PORAŻKĄ.

Czułem, że wszędzie czyha na mnie niebezpieczeństwo,
więc w te pędy wróciłem do hotelu.

Cała reszta Heffleyów była już w apartamencie.

Mieliśmy naprawdę kryzysową sytuację. Ja nie chciałem
opuszczać pokoju, a Rodrick nie mógł wychodzić na słońce.

Mama zasugerowała, że może powinniśmy zrezygnować
z reszty pobytu i wyjechać dzień wcześniej. Ale tata
odparował, że wydaliśmy fortunę na tę wycieczkę i że
on odmawia wyjazdu, dopóki nie zje przynajmniej
JEDNEGO przyzwoitego posiłku.

Nikt z nas nie chciał już jeść pod gołym niebem
z powodu tych głupich ptaków. Nie mogliśmy się też
pokazać w klubie golfowym, bo nie mieliśmy eleganckich
ciuchów.

I w tej właśnie chwili na drugim końcu pokoju rozległ
się głośny trzask.

Puściło zapięcie walizki przez pomyłkę zabranej przez
nas z lotniska. Ubrania walały się teraz WSZĘDZIE.

Ludzie, do których należała walizka, pewnie byli
bardzo podobni do nas, bo zabrali w podróż ciuchy
w prawie wszystkich możliwych rozmiarach.

I to nie były tylko stroje plażowe. Także ubrania,
które wkłada się do kościoła. Albo do restauracji.

Spojrzałem na tatę. A on najwyraźniej myślał o tym samym co ja. Te ciuchy były naszą przepustką do klubu golfowego.

Mama powiedziała, że będzie mieć wyrzuty sumienia, chodząc w cudzych rzeczach. Ale tata odparł, że potem wszystko ładnie zapakujemy i odeślemy właścicielom.

To chyba ją przekonało, więc zaczęliśmy przymierzać ubrania. Jedyną osobą, która nic sobie nie znalazła, był RODRICK. Mama mu jednak przypomniała, że i tak nie może wystawiać się na słońce. Po czym dała Rodrickowi szlafrok i koszulkę z kołnierzykiem do włożenia na wierzch.

Muszę przyznać, że gdy wyszliśmy z hotelu, wyglądaliśmy EKSTRA. Nawet stylówka ze szlafrokiem wydawała się na miejscu.

Ruszyliśmy w stronę restauracji, a ja cały czas szukałem wzrokiem dzieciaków, które mogłyby mnie rozpoznać. Ale dotarliśmy do klubu bez przeszkód.

TYM razem nas wpuścili. I to była najlepsza wyżerka w całym moim życiu.

Po deserze wcale nie chciało nam się wracać do pokoju. Postanowiliśmy powbijać piłeczkę do dołka.

Prawda jest taka, że moja rodzina NIGDY nie bawi się dobrze we własnym towarzystwie. Ale w tamtym momencie chyba załapałem, jak MOGŁYBY wyglądać rodzinne wakacje.

Jak już wspomniałem, nic nie trwa WIECZNIE. Nagle podjechał do nas wózkiem golfowym ochroniarz. Wysiadł i powiedział, żebyśmy z nim poszli.

Kiedy tata zapytał o POWÓD, gość odparł, że jakaś inna rodzina w restauracji oskarżyła nas o przywłaszczenie sobie jej UBRAŃ.

Na chwilę nas zatkało. Ale wtedy przypomniałem sobie, czego nauczyłem się na lotnisku. Kiedy Heffleyowie wpadają w tarapaty, DAJĄ CHODU.

Wskoczyłem do wózka na miejsce kierowcy, rodzina rzuciła się za mną i odjechaliśmy, zostawiając ochroniarza w chmurze kurzu.

Ale zaraz odkryliśmy, że wózek golfowy słabo się nadaje do spektakularnych ucieczek, zwłaszcza POD GÓRKĘ.

Ochroniarz dogonił nas w niecałą minutę i chyba nawet nie miał zadyszki.

Kazał nam wrócić do pokoju, przynieść walizkę i oddać ją właścicielom. Musieliśmy też wyskoczyć z ciuchów. I to był naprawdę żenujący moment.

Szczerze? Uważam, że ten obciach był dla nas WYSTARCZAJĄCĄ karą. Ale ochroniarz powiedział, że w kurorcie nie są tolerowane kradzieże. Kazał nam się spakować i natychmiast opuścić ośrodek.

Tata próbował wytłumaczyć, co się NAPRAWDĘ stało, ale koleś nie był w nastroju do słuchania wyjaśnień. A kiedy spakowaliśmy swoje rzeczy, OSOBIŚCIE odwiózł nas na lotnisko.

Gdy dojechaliśmy, tata podszedł do stanowiska naszych linii i oświadczył, że lecimy dzień wcześniej.

Na co usłyszał, że wszystkie loty zostały wyprzedane i że musimy poczekać do NASTĘPNEGO wieczoru.

Co było problemem, bo nie mieliśmy gdzie się PODZIAĆ.

W końcu tata zadzwonił do hotelu przy lotnisku i tam mu powiedzieli, że mają wolny pokój. No więc ostatnią noc wakacji spędziliśmy w ciasnej klitce. A ja musiałem dzielić rozkładaną sofę z Rodrickiem, który cały się lepił od lodów na patyku.

<u>Sobota</u>

Mieliśmy przed sobą długi dzień. Wylatywaliśmy dopiero o ósmej wieczorem, a na lotnisku wynudzilibyśmy się jak mopsy. Ale przy śniadaniu mama i tata kompletnie nas zaskoczyli.

Oświadczyli, że spędzimy ten dzień w KURORCIE.

Rodzice przegadali w nocy temat i oboje byli zgodni, że źle nas potraktowano. Stwierdzili, że należy nam się druga szansa i że Heffleyów poznaje się nie po tym, jak zaczynają, lecz jak kończą.

Mama powiedziała, że najważniejsze jest teraz nasze rodzinne zdjęcie. Dodała, że zna CUDOWNE miejsce na plaży i od razu nas tam zaprowadzi.

Pomyślałem, że to jakieś szaleństwo, bo niby jak zdołalibyśmy przejść przez recepcję? Ale tata obwieścił, że ma plan i że wszystko nam powie na miejscu.

Pojechaliśmy autobusem z powrotem do ośrodka, a po drodze znów obejrzeliśmy dobrze nam znany filmik. I nagle zrozumiałem, dlaczego świat na tym nagraniu wygląda tak FAJNIE. Nie ma w nim żadnych RODZIN.

Kiedy wysiedliśmy, tata zdradził nam swój plan zakradnięcia się na teren ośrodka. Cóż. Nie można powiedzieć, żeby był błyskotliwy.

No ale najważniejsze, że zadziałał BEZ PUDŁA.
Przepełzliśmy obok recepcjonistów, a potem
przeszliśmy przez basen. Nie było tam tłumów, bo
ciągle go jeszcze napełniali.

Szybko odkryliśmy, gdzie są WSZYSCY. Na plaży. Ale
w tym tłoku nikt się chyba zbyt dobrze NIE bawił.

Mama nie chciała zdjęcia z innymi ludźmi w kadrze.
Dlatego poszliśmy na wydmy, licząc na trochę
prywatności.

Tylko że właśnie tam wpadliśmy na dziewczynę Rodricka.

W sumie to było mi ŻAL mojego brata. ZWŁASZCZA
gdy mama poprosiła tę laskę, żeby zrobiła nam zdjęcie.

Nie jestem pewien, czy nasza rodzinna fotka nada się na kartkę świąteczną. Mama zawsze odrzuca ujęcia bez UŚMIECHU.

Kiedy już odfajkowaliśmy zdjęcie, wróciliśmy na plażę. Rodrick cierpiał w milczeniu, ale reszta SUPER się bawiła.

Wreszcie zgłodnieliśmy i postanowiliśmy wrzucić coś na ząb. Tyle tylko, że ochroniarz zabrał nam karty i nie mogliśmy ZAPŁACIĆ.

Jakaś rodzina miała w pawilonie plażowym niedojedzone resztki pizzy i frytek. A więc zrobiliśmy to, czego nauczyły nas ptaki.

Tata w końcu powiedział, że pora się zbierać. Mama jednak chciała wrócić na wydmy i pstryknąć jeszcze parę fotek.

Coś mi się zdaje, że zbytnio kusiliśmy los, bo wpadliśmy tam na KOLEJNE znajome osoby.

Na nasz widok ta druga rodzina zrobiła w tył zwrot, jakby się paliło. Wiedzieliśmy, że doniesie na nas ochronie, więc natychmiast daliśmy drapaka.

Nie miałem pojęcia, dokąd pobiegła RESZTA Heffleyów, ale ja wróciłem na PLAŻĘ. Sądziłem, że tam z łatwością wtopię się w tłum. Gdy jednak zobaczyłem goniącego mnie ochroniarza, SPANIKOWAŁEM.

Wskoczyłem do wody i popłynąłem w stronę windsurferów. Nie miałem pojęcia, JAK się używa takiej deski, ale to była moja jedyna szansa.

Wdrapałem się na deskę, postawiłem żagiel. I nagle to coś pode mną zaczęło się PRZESUWAĆ.

Do sterowania służył duży kijek przy żaglu. A ja doszedłem do wniosku, że wszystko gra, dopóki ODDALAM SIĘ od plaży.

Potem powiał silny wiatr, który wydął żagiel. Zabrakło mi siły, żeby zapanować nad sterem. Płynąłem BARDZO szybko. I wciąż nabierałem prędkości.

Przed sobą zobaczyłem boje. Za nimi była strefa odgrodzona linami. Zacząłem hamować ze wszystkich sił, to jednak nic nie dało.

Chwilę później zahaczyłem deską o linę. A wtedy żagiel się przewrócił i położył na wodzie.

Próbowałem postawić go na nowo, ale przy tak wysokich falach to była prawdziwa sztuka. I nagle ZDRĘTWIAŁEM, bo coś otarło mi się o NOGĘ.

Dwie sekundy później pokazała się PŁETWA. A potem następna. I jeszcze jedna. I kolejna. Zostałem otoczony. Pomyślałem, że zaraz stanę się przekąską dla stada rekinów.

Aż wreszcie mnie olśniło. To były DELFINY. Z radości zupełnie zapomniałem, że jestem ścigany.

Dopiero łódź ochrony sprowadziła mnie z powrotem na ziemię.

Zostawiłem deskę i rzuciłem się wpław do brzegu. Plaża wydała mi się teraz dużo MNIEJ zatłoczona.

Chwilę później zrozumiałem dlaczego. Przypadkiem wylądowałem po DZIKIEJ stronie. A tych ludzi chyba nie ucieszył widok małolata z aparatem na ich prywatnej plaży.

Ochroniarze nadbiegali ze wszystkich kierunków. Trzeba było brać nogi za pas. Zresztą nie tylko kolesie z ochrony chcieli mnie dopaść. GOLASY też.

Przemknąłem obok basenu dzikich, który wyglądał zupełnie jak NASZ basen, tylko z WODĄ.

Na karku siedziała mi cała kupa ludzi. No więc przeskoczyłem przez jakiś płotek i schowałem się w zaroślach.

Myślałem, że jestem już bezpieczny. Ale wtedy plasnąłem o MUR.

Właśnie w tej jego części znajdowała się DZIURA.

I nie uwierzycie, kogo zobaczyłem po drugiej stronie.

Kiedy rodzina już mnie zauważyła, powiedziałem, że potrzebuję pomocy.

Zacząłem podważać deskę, tata pchał z tamtej strony i rzeczywiście powstała szczelina. Ale za mała, żebym mógł się przez nią przecisnąć.

Słyszałem ochroniarzy rozmawiających przez krótkofalówki. Wiedziałem, że to kwestia SEKUND, zanim mnie odnajdą.

Próbowałem WDRAPAĆ SIĘ po murze, ale nie miałem oparcia dla nóg. Wtedy wysoko nad sobą zobaczyłem RODRICKA. Brat podał mi rękę, a ja zdołałem ją złapać. Zaczął ciągnąć mnie w górę i już myślałem, że naprawdę nam się uda.

I właśnie wtedy siedmionogi PAJĄK wyszedł ze szlafroka Rodricka. Wlazł mi na rękę, a ja puściłem dłoń brata i spadłem.

Gdy walnąłem o ziemię, myślałem, że to już koniec. Wtedy jednak część muru, po której próbowałem się wspiąć, PADŁA. Miałem szczęście, że nie zmiażdżył mnie tabun ludzi przedzierających się na dziką stronę.

Korzystając z zamieszania, przekradliśmy się do wyjścia. Musieliśmy minąć budkę ochroniarzy. A ci faceci nie zauważyli nas tylko dlatego, że na basenie dzikich zapanował kompletny chaos.

Kiedy znaleźliśmy się poza terenem ośrodka, zamachaliśmy na taksówkę i pomknęliśmy prosto na lotnisko.

Lecąc do domu, zaliczyliśmy turbulencje, ale po tym wszystkim, co PRZESZLIŚMY, powietrzne wyboje nie zrobiły na mnie wrażenia.

Niedziela

Dopiero co wróciliśmy z Isla de Corales, a mama już wkleja zdjęcia z wyjazdu do albumu. Patrząc na te fotki, można by pomyśleć, że świetnie się bawiliśmy.

Tak czy inaczej, więcej tam nie pojedziemy, bo w kurorcie jesteśmy SPALENI. Wszedłem na stronę internetową ośrodka, żeby pokazać Rowleyowi, gdzie spędziłem święta. No i od razu dało mi po oczach wielkie zdjęcie mojej rodziny.

Z opisu nie zrozumiałem ani słowa, ale myślę, że ogólny sens uchwyciłem.

PODZIĘKOWANIA

Dziękuję wszystkim z wydawnictwa Abrams, a w szczególności Charliemu Kochmanowi, dla którego dwunasta książka jest tak samo ważna jak pierwsza. Wyrazy wdzięczności niech przyjmą również: Michael Jacobs, Andrew Smith, Chad W. Beckerman, Susan Van Metre, Liz Fithian, Carmen Alvarez, Melanie Chang, Amy Vreeland, Samantha Hoback, Alison Gervais, Elisa Garcia i Josh Berlowitz.

Dziękuję także Jasonowi Wellsowi i Veronice Wasserman za życzliwość, a Kim Ku za nowatorskie rozwiązania graficzne.

Dziękuję zespołowi zajmującemu się cwaniaczkiem: Shaelyn Germain, Annie Cesary i Vanessie Jedrej. Oraz Deb Sundin i jej drużynie z An Unlikely Story.

Dziękuję Richowi Carrowi i Andrei Lucey za wsparcie i przyjaźń. A Paulowi Sennottowi za jego nieocenioną pomoc.

Dziękuję Jessowi Brallierowi za rady. Zwłaszcza za tę, żebym zaczął pisać.

Na koniec pragnę podziękować osobom z Hollywood przenoszącym nowe opowieści o Gregu Heffleyu na ekran. Czyli Sylvie Rabineau, Keithowi Fleerowi, Ninie Jacobson, Bradowi Simpsonowi, Elizabeth Gabler, Davidowi Bowersowi i Gregowi Mooradianowi.

O AUTORZE

Jeff Kinney jest twórcą serii książek *Dziennik cwaniaczka*, numeru jeden na liście bestsellerów „New York Timesa". Sześciokrotnie zdobył Nickelodeon Kids' Choice Award w kategorii Ulubiona Książka. Jest jednym ze Stu Najbardziej Wpływowych Ludzi Świata w rankingu „Time". Stworzył również www.poptropica.com, jeden z Pięćdziesięciu Najlepszych Serwisów Internetowych według „Time". Dzieciństwo spędził w mieście Waszyngton, a w 1995 roku przeniósł się do Nowej Anglii. Obecnie z żoną i dwoma synami mieszka w Massachusetts, gdzie razem z rodziną prowadzi księgarnię An Unlikely Story.

Wydawnictwo NASZA KSIĘGARNIA Sp. z o.o.
05-075 Warszawa-Wesoła, ul. Apteczna 6
e-mail: naszaksiegarnia@nk.com.pl
tel. 22 643 93 89

Sprzedaż wysyłkowa: tel. 22 641 56 32
e-mail: sklep.wysylkowy@nk.com.pl

www.nk.com.pl

Książkę wydrukowano na papierze
Ecco-Book Cream 70 g/m² wol. 2,0.

Redaktor prowadząca *Joanna Wajs*
Opieka redakcyjna *Magdalena Korobkiewicz*
Korekta *Malwina Łozińska, Małgorzata Ruszkowska*
Skład, redakcja techniczna *Joanna Piotrowska*

ISBN 978-83-10-13849-1

PRINTED IN POLAND
Wydawnictwo „Nasza Księgarnia", Warszawa 2022 r.
Druk: POZKAL, Inowrocław